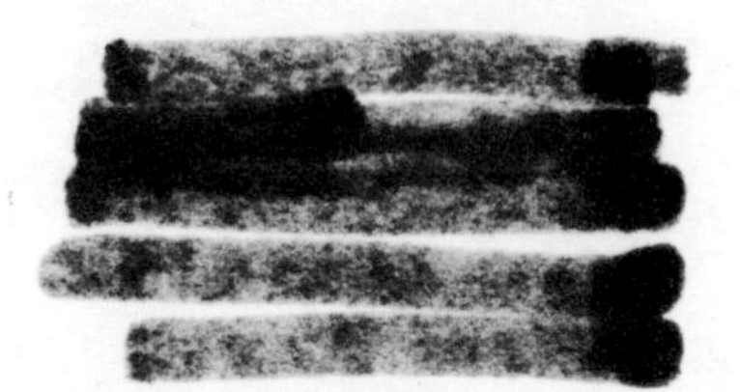

LA COCINA FAMILIAR

EN EL ESTADO DE

# MÉXICO

# LA COCINA FAMILIAR EN EL ESTADO DE MÉXICO

México



CONACULTA OCEANO

LA COCINA FAMILIAR
EN EL ESTADO DE MÉXICO

Primera edición: 1988
Banco Nacional de Crédito Rural, S.N.C.
Realizada con la colaboración del Voluntariado Nacional y de las Promotoras Voluntarias del Banco Nacional de Crédito Rural, S.N.C.

Segunda edición: 2000
Editorial Océano de México, S.A. de C.V.

Producción:
Editorial Océano de México, S.A. de C.V.



ISBN
Océano: 970-651-442-2
970-651-450-3 (Obra completa)
CONACULTA: 970-18-5549-3
970-18-5544-2 (Obra completa)

LA COCINA FAMILIAR EN EL ESTADO DE

# México


PRESENTACIÓN 9

INTRODUCCIÓN 11

RECETAS

I. ANTOJITOS 17
- Tamales de chile 18
- Tamales de sesos
- Tacos de pueblo
- Quesadillas de hongos 19
- Enjitomatados
- Enchiladas de jitomate
- Mole verde 20
- Tortas de flor de calabaza
- Tallos de acelga rebozados 21
- Cebollas a la azteca
- Inditos al balcón
- Quintoniles encebollados 22

II. CALDOS, SOPAS Y PASTAS 23
- Caldo largo de pescado 24
- Consomé de pollo
- Consomé de champiñones
- Sopa de médula 25
- Sopa de tortillas
- Sopa de frijoles
- Sopa de apio 26
- Crema de calabacitas
- Sopa de cebolla
- Sopa de jitomate 27
- Macarrón con hongos
- Spaghetti verde
- Arroz en pastete 28
- Lentejas guisadas

III. PESCADOS Y VERDURAS 29
- Camarón en chile rojo 31
- Truchas en jardín
- Albóndigas de pescado
- Pan de cazón 32
- Pescado en achiote
- Tortas de hueva de pescado
- Ensalada de juanes 33
- Ensalada de garbanzos
- Berenjena encebollada
- Hongos en asado 34
- Hongos en chile pasilla
- Chícharos con hongos
- Calabacitas en asado 35
- Brécoles con crema
- Col morada a la reina
- Col en rollos 36
- Potaje de colecitas de Bruselas
- Ejotes al horno
- Acelgas con papas 37
- Chayotes con rajas

IV. AVES Y CARNES 39
- Pichones con col 40
- Higaditos y mollejas de pollo
- Cuñete de pollo
- Pollo al aguacate 41
- Liebre a la cazadora
- Conejo relleno al horno
- Conejo en adobo 42
- Barbacoa en mixiotes
- Chorizos
- Carnero asado con jitomate y chile 43
- Rellena

Espinazo en mole de olla 44
Manchamanteles
Riñones campiranos
Tuxtepecano 45
Pepeto
Milanesas molidas
Albondigón 46
Salpicón
Rollitos de carne

V. DULCES Y POSTRES 47
Torrejas 48
Elotes en croquetas
Burritos de maíz
Dulce de elote 49
Torta de elote
Arepitas
Rosquitas tostadas y polveadas 50
Paciencias de limón
Garibaldi 50
Gelatina de mango y piña 51
Dulce de zanahoria
Crema de azahar
Pinole
Carlota de avellanas 52
Flan de avellanas
Flan de queso
Frituras de dulce 53
Dulces de leche y coco
Crocante de cacahuate

DE COCINA Y ALGO MÁS

Festividades 55
Nutrimentos y calorías 60
Equivalencias 61
Glosario 63

# Presentación

La Comida Familiar Mexicana fue un proyecto de 32 volúmenes que se gestó en la Unidad de Promoción Voluntaria del Banco de Crédito Rural entre 1985 y 1988. Sería imposible mencionar o agradecer aquí a todas las mujeres y hombres del país que contribuyeron con este programa, pero es necesario recordar por lo menos a dos: Patricia Buentello de Gamas y Guadalupe Pérez San Vicente. Esta última escribió en particular el volumen sobre la Ciudad de México como un ensayo teórico sobre la cocina mexicana. Los textos históricos y culinarios, que no las recetas recibidas, varias de ellas firmadas, fueron elaborados por un equipo profesional especialmente contratado para ello y que encabezó Roberto Suárez Argüello.

Posteriormente, hace ya más de seis años, BANRURAL traspasó los derechos de esta obra a favor de CONACULTA con el objeto de poder comercializar el remanente de libros de la primera edición, así como para que se hicieran nuevas ediciones de la misma. Esta ocasión llega ahora al unir esfuerzos CONACULTA con Editorial Océano. El proyecto actual está dirigido tanto a dotar a las bibliotecas públicas de este valioso material, como a su amplia comercialización a un costo accesible. Para ello se ha diseñado una nueva edición que por su carácter sobrio y sencillo ha debido prescindir de algunos anexos de la original, como el del calendario de los principales cultivos del campo mexicano. Se trata, sin duda, de un patrimonio cultural de generaciones que hoy entregamos a la presente al iniciarse el nuevo milenio.

Los Editores

# Introducción

*Cuando aún era de noche,*
*cuando aún no había día,*
*cuando aún no había luz,*
*se reunieron,*
*se convocaron los dioses*
*allá en Teotihuacán.*
*...*
*Se refería, se decía*
*que así hubo ya cuatro vidas*
*y que ésta era la quinta edad.*

La cultura teotihuacana ocupa un lugar preponderante en la historia de Mesoamérica. En las siguientes palabras se traduce su carácter de exponente máximo y de síntesis para la historia da la región: "...creado el Quinto Sol en el fuego divino de Teotihuacán, los dioses engendraron una nueva especie humana sobre la tierra, aprovechando los mejores despojos de épocas anteriores al través de Quetzalcóatl, quien además habría de alimentarlos".

Elegidos de los dioses, depositarios de las máximas virtudes de pueblos anteriores, los teotihuacanos remontan sus orígenes a los 12000 años antes de la era cristiana. El hueso tallado de Tequixquiac, la punta de flecha y la navaja de obsidiana junto a fragmentos de un mamut en Santa Isabel Iztapan, y el esqueleto humano de Tepexpan, son fragmentos que permiten hoy recrear la presencia de aquellos primeros grupos.

Durante los milenios que duró su evolución, los integrantes de la cultura teotihuacana construyeron ciudades y desarrollaron las ciencias y las artes; destacaron entre ellas la ingeniería y la arquitectura, que llevaron a la planeación de magníficos centros religiosos y urbanos; la pintura realizada en muros previamente estucados, representaba deidades y escenas rituales, y para su preparación se emplearon pigmentos minerales y no orgánicos.

En el aspecto científico, los teotihuacanos manejaron las matemáticas, la astronomía, el cálculo calendárico, los ciclos agrícolas y la medicina herbolaria. La geografía y la historia, terrenos también abordados por su cultura, les permitieron meditar sobre el presente y el devenir. Su vida giraba en torno a la religión, que adoptó características propias de la estructura económica y social del pueblo –eminentemente agrícola–, y fue así cómo las deidades principales se relacionaron con el cultivo de la tierra y el orden cósmico.

El comercio, quizá una de sus actividades económicas más importantes, los llevó a relacionarse con diversos grupos mesoamericanos. El ámbito de esta interacción económica se extendió hasta el sur, donde tuvieron un importante acercamiento con la cultura maya. De todas esas regiones acapararon una gran variedad y cantidad de productos que distribuían en la zona de mercado de su gran metrópoli. Durante ese período, Teotihuacán creció y enriqueció su cultura con lo mejor de aquéllas con las que entró en contacto; la población rebasó los cien mil habitantes y la extensión urbana alcanzó 20.5 kilómetros cuadrados.

Nada como un mercado para reflejar las actividades de una época; la estampa del tianguis teotihuacano permite imaginarlo inundado por el clamor de compradores y vendedores, multiplicados a cada paso, en cada pasillo. En el tumulto placero se obtenían telas, huaraches, cueros, jícaras y cucharas. Todos los artículos bien formados, como en procesión; en un puesto los chayotes, nopales, tomates verdes, mazorcas y frijol; en el otro, en un ensayo de colores, mangos, mameyes, papayas, melones y capulines; al final, pequeños trozos de carne de liebre, de guajolote. Y luego, bajo la sombra de los ahuehuetes y pirules, los guisos: tortillas dobladas, enchiladas o dulces, tamales compitiendo en variedad e imaginación, frijoles con sabor a epazote y barro curado, miel de avispa para endulzar, aguamiel para suavizar los ricos platillos bañados en salsa roja. Empero, a pesar de la diversidad gastronómica, no había teotihuacanos obesos. La vastedad de alimentos se comía con parquedad espartana. Se comía para vivir, pero se vivía para la gloria de Teotihuacán.

Como sucede en varias culturas prehispánicas, la duda preside la explicación de su desaparición o emigración. La cultura teotihuacana no es excepción; su notable desarrollo fue interrumpido por el abandono misterioso de la magna ciudad (hacia 650 d.C.); sólo la zona campesina se mantuvo ocupada. Varias teorías tratan de explicar el vacío, entre ellas la que habla de una invasión de grupos extranjeros. Lo único que parece más claro, hasta ahora, son los vestigios de un inmenso incendio, que inclinan a pensar en que la deserción obedeció a situaciones violentas. Los grupos emigrantes realizaron sus primeras construcciones en Cholula, el valle de Morelos, la zona de Oaxaca y llegaron a la región más alta de Guatemala, así como a algunos puntos de La Huasteca.

Hacia el siglo XIII, en lo que hoy es el Estado de México, se dejó sentir el paso de los grupos chichimecas de Xólotl, y posteriormente los mexicas, durante el reinado de Axayácatl (1469-1481), dominaron la mayor parte de los poblados matlatzincas y les impusieron el nombre con el cual se les conoce hoy en día: Toluca, Metepec, Calimaya, Xicaltepec, Teotenango, Tlacotepec y Calixtlahuaca; los mazahuas se asentaron en Atlacomulco, Temascalcingo, Ixtlahuaca, Villa Allende, Donato Guerra, Villa Victoria, Almoloya de Juárez, Valle de Bravo y El Oro, mientras los otomíes lo hicieron en Jilotepec.

Luego de la caída de Tenochtitlan, el primer ayuntamiento de México comprendió unos 75 kilómetros a la redonda; en él quedaron, bajo las órdenes de Hernán Cortés, las poblaciones de Texcoco, Tacuba, Toluca y Chalco. Se empleaba entonces el sistema de encomiendas con su doble objetivo: la evangelización de los indígenas y el control de la mano de obra para el trabajo agrícola, las obras de riego y las edificaciones.

En 1523 se inició la acción evangelizadora de franciscanos, dominicos y agustinos, que se extendieron por la región y erigieron conventos, iglesias y escuelas, como la de Texcoco, fundada por Fray Pedro de Gante; por su parte, los jesuitas construyeron una iglesia y un seminario en Tepotzotlán. Surgieron poblados mineros como Temascaltepec, Sultepec y Zacualpan, enormes haciendas cerealeras en Malinalco y pulqueras en Otumba y Texcoco. Toluca fue escogida como el centro ganadero vacuno y caballar del altiplano.

En 1786 se modificó en la Nueva España la organización política de las provincias y se creó la Intendencia de México, con los territorios de Querétaro, Hidalgo, Morelos, Distrito Federal, parte de Guerrero y el área que ocupa el actual Estado de México.

Mientras españoles y criollos se ocupaban y crecían en un período de construcción y organización, la población indígena luchaba por no extinguirse. Primero por la conquista y después por las epidemias se había visto terriblemente diezmada; así, de un millón y medio de habitantes, a principios del siglo XVII había ya menos de setenta mil (menos del cinco por ciento de la población inicial). Poco a poco se estabilizó la situación, aunque durante los tres siglos coloniales, las condiciones de vida para los grupos nativos fueron asaz precarias. Sojuzgados, mexicas, mazahuas y otomíes hablaban en susurros su lengua materna; la inteligencia fundida en la desconfianza que revelaban los ojos negros, vestidos con harapos albos y con hambre, ya ancestral. Profundas eran las tensiones sociales, el cruel enfrentamiento entre los que no comían más que tortillas con chile y, quizá, unos tragos apurados de atole, y aquellos amos que celebraban festines de ollas podridas, barbacoa de borrego y buenos asados.

Llegó el siglo XIX y con él entraron los aires independentistas a la Nueva España. El movimiento nacionalista avanzó desde Guanajuato y arribó a la zona con la llegada de Hidalgo a Toluca en 1810, seguido de un improvisado ejército. Se distinguían en él guerrilleros nativos, como José María Oviedo, Rosales, Montes de Oca, el padre Izquierdo y Pedro Ascencio de Alquisiras, indio originario de Tlatlaya.

Tiempos difíciles aquellos, de heroísmo y traiciones. Sorda rebeldía que acogolla al miedo, al llanto, y permite morir con la visión del futuro. El último sorbo de aguardiente, la última tortilla, los últimos frijoles. El sarape que se hereda, que envuelve, en lugar de caja, a aquél a quien sirvió de cuna y de cobija. Ahí, vecina, la silla que sirve de almohada; la guitarra surgida de la nada; la voz ronca, tras la batalla, entona unas rimas; el pocillo y la jícara reciben un poco de caldo de frijol, un pedacito de liebre, una raíz hervida arrancada al camino. Cuando se podía, un tasajo de res mal asado, sin sal, sin chile, sin jugos. Y luego, mucho después, la victoria, la libertad.

En 1824, tras la consumación de la Independencia, se instaló en la capital el Congreso del Estado de México; en 1827 los poderes se trasladaron a Texcoco, donde se promulgó la Constitución Política local; luego pasaron a Tlalpan y, finalmente, en 1830, a Toluca.

Desde ese año y hasta 1867, fecha en que cayó el imperio de Maximiliano y se reestructuró la República, la situación socioeconómica de la entidad –al igual que la de todo el país– fue caótica. Sin embargo, su posición en el centro del territorio nacional la volvió paso obligado y asiento forzoso de un sinnúmero de batallas militares y políticas, ante las cuales se derrumbaba cualquier posibilidad de mejoría.

En su momento, la zona albergó campamentos independentistas y realistas, liberales y conservadores, federalistas y centralistas, republicanos e imperialistas. Melchor Ocampo, Santos Degollado y Leandro Valle, entre muchos otros, vivieron en esos campamentos. Pero la región no sólo alojó a los héroes y a sus ejércitos, sino a sus familias, y con ellos a la vida cotidiana. Tradiciones, hábitos y costumbres se encontraron, chocaron y se fusionaron. La cercanía con la capital era propicia. Y los nativos tenían experiencia: se sabía dónde y cómo conseguir alimentos, medicinas, refugio... Así se encontró, se desarrolló y enriqueció el gusto culinario de la zona.

Durante la intervención francesa, el actual Estado de México se convirtió en prefectura política. En la lucha contra el imperio se distinguieron próceres como Ignacio Manuel Altamirano, J. Trinidad Macario Murguía, Manuel Alas, José Hernández, el sacerdote Nicolás González León y Simón Guzmán.

En 1870 se promulgó una nueva constitución local, en la que se incorporaron las garantías individuales y la libertad de creencias, gracias al movimiento encabezado por Julio López Chávez, quien proclamó "la guerra a los ricos y el reparto de tierras de las haciendas para los indígenas", en un manifiesto claramente orientado hacia la igualdad social.

Durante el porfiriato, y merced al primer largo período de paz en muchos años, principió el moderno desarrollo económico de la zona. Orientado entonces hacia la inversión extranjera, instaló también pequeñas industrias y expandió el sistema ferroviario; sin embargo, el centralismo coartaba los esfuerzos locales, los poderes –tanto políticos como económicos– se ejercían desde la capital de la república, lo que limitaba el impulso regional.

La labor de gobierno de José Vicente Villada, de 1889 a 1904, incrementó la infraestructura regional, fundamentalmente industrial y educativa. Fue durante ese tiempo cuando se estableció la educación primaria, se fundó la Escuela Normal para Señoritas, el Instituto Científico y Literario, la Escuela de Artes y Oficios, el hospital para huérfanos y el hospital civil; se impulsó asimismo el Consejo de Salubridad. Aumentó el número de fábricas de hilados y tejidos; algunos de los yacimientos minerales volvieron a explotarse; se multiplicó la explotación forestal, la producción pulquera, la agricultura y el comercio. Pese a lo cual cabe señalar que la mayor parte de los pobladores enriquecía a unos cuantos propietarios, mas ellos no pasaban de cumplir duras jornadas como peones y obreros.

El grito maderista de 1910 halló, pues, eco pronto en el estado. Los hermanos Joaquín y Alfonso Miranda encabezaron a centenares de indígenas de Ocuilán y Malinalco, mientras Amado Vallejo tomaba sin compañía alguna la presidencia municipal; en ella obtuvo los viejos fusiles que se necesitaban para armar a la tropa. Unos años antes, un nativo de la zona, Andrés Molina Enríquez, había publicado su obra *Los grandes problemas nacionales*, en la que analizaba con detalle las deficiencias existentes en el país, sobre todo en lo que se refería a la tenencia de la tierra.

Y justamente como respuesta a la injusticia en la distribución de los predios, hacia 1912 aparecieron los primeros brotes agraristas. Los zapatistas libraron cruentas batallas, encabezados por la división de Genovevo de la O, quien en la zona llevó la Revolución al triunfo. Al ocurrir la usurpación huertista, los esbirros del dictador intentaron inútilmente someter al estado, ya que los zapatistas habían depositado el poder ejecutivo provisional en Gustavo Baz, estudiante de medicina, que con su juventud lo supo defender con entereza.

La región se sumió los años siguientes en un mar de escaramuzas políticas y tuvo poca ocasión para despegar y mejorar las condiciones de vida generales; cuando el presidente Avila Camacho pidió a Isidro Fabela que aceptara el cargo de gobernador interino, para el periodo que terminaba en 1945, el impulso y asentamiento que se logró fueron, al fin, definitivos. Fabela se dio a la tarea de cimentar las bases para la expansión y el auge industrial moderno del estado; promovió una extraordinaria actividad legislativa y ordenó la edificación de innumerables obras públicas.

Prácticamente a partir de entonces el Estado de México se ha convertido en la zona de refugio de la desbordante capital con la que, a lo largo de muchos kilómetros, está ya conurbado. La entidad, pese a ello, ha logrado ser conjunción propia de riqueza natural y desarrollo industrial.

Junto a lugares recónditos y sitios de gran belleza, los parques industriales albergan a más de diez mil empresas altamente productivas. La agricultura difícilmente encuentra parangón; es el primer productor nacional de maíz y frijol, además de aportar un alto índice a la producción nacional de avena forrajera, papa, cebada y alfalfa verde. El sistema ganadero incluye bovinos, porcinos, caprinos, aves y colmenas. La explotación de pino y oyamel se refuerza constantemente con programas de reforestación y cuidado ecológico. El sector minero aporta ingresos importantes con el oro, plata, cobre y plomo del subsuelo. Y, en toda la región, prestan servicios alrededor de cincuenta mil establecimientos para beneficio de propios y ajenos.

Conviene señalar que, en el estado, incorporados a los muchos cultivos y al vergel de las hortalizas, los depósitos acuáticos y ríos son criaderos que propician una nueva dieta con el aprovechamiento de peces lisos y de escamas, carpas, charales y truchas, variedades generosas que tal vez algún día alcancen la fama de los preciados productos ganaderos, famosos al par de chorizos, longanizas, los muchos embutidos toluqueños, las tortas y pambazos, la "fruta de horno" para los pastelillos de olla, los encomiables dulces cubiertos y de leche... Larga es, de hecho, la lista de buenos productos gastronómicos por la que se reconoce a la entidad.

El Estado de México en nuestros días se ha convertido en el respiradero de la megalópolis capitalina, con un sistema de planeación y desarrollo que salvaguarda su potencialidad. Desde los tarahumaras hasta el mosaico regional que actualmente lo habita, ha sabido integrar una sólida herencia cultural. Como parte de ella, la gastronomía de la entidad –por su posición central, sitio de encuentro y paso obligado– sigue enriqueciéndose día con día, sin perder sus pausas y sus encantos y aun las fuentes primitivas o exóticas de muchos guisos, pese a la asimilación de lo nuevo y a la respuesta obligada que le demanda la enorme urbe capitalina.

En las cinco secciones o apartados que integran el recetario de la cocina familiar en el Estado de México, la diversidad de fórmulas permite entender pronto aquellos alados versos del rey poeta Nezahualcóyotl:

*Si tú te mueves, caen flores:*
*eres tú mismo el que te esparces.*

Los muchos dones del terruño, las gracias esparcidas –como señalaba la monja nativa, Sor Juana– se descubren, pues, en los múltiples platillos que informan sobre las posibilidades y gustos de la mesa cotidiana y en otros que expresan los hábitos festivos, las costumbres colectivas en los días de celebración.

Ya el primer apartado, **Antojitos**, en breve entrega muestra de las riquezas y maneras locales. Y si la selección de recetas enseña apenas algunas apetencias estatales, como la muy mexicana de los antojos, despierta igualmente el deseo de visitar las distintas zonas de la entidad e irlas saboreando, de antojo en antojo.

La sección segunda, **Caldos, sopas y pastas**, resulta floridísima. Bien se prepara la comida y se abre más el apetito. Los caldos humean y las "sopas secas" exhalan jugosos aromas. Arribar al tercer apartado, **Pescados y verduras**, es puro deleite. Así los pescados de lejanos mares y las múltiples hortalizas del jardín local, los hongos de la lluvia o los chayotes de cualquier enramada.

En **Aves y carnes**, cuarto apartado, ollas y peroles deben estar a punto, pues guisar y freír es asunto mayor. Hay embutidos incomparables, buenísimos platillos fuertes y aun guisos ligeros, prácticos y apetitosos.

La sección final **Dulces y postres**, da ejemplo de algunos arrobos de la cocina familiar. Se encuentra el postre finísimo –por ejemplo, la delicada crema de azahar– y también la golosina cotidiana, fácil, como para disfrutar una tarde de cine o una velada de grata charla. Se aviva, otra vez, el deseo de visitar las distintas zonas del estado e irlas paladeando, de dulce en dulce.

# Antojitos

## ANTOJITOS

El recetario de la cocina familiar mexiquense principia con el que se puede considerar, a nivel nacional, como el platillo indígena por excelencia: los tamales de maíz. Dos fórmulas originales ofrece, en esta vertiente, la selección de recetas del primer apartado. De chiles y tomates verdes, la masa bien trabajada en agua de tequesquite, con carne de pollo o cerdo y con su envoltura de hojas de maíz, la primera. Y de sesos los tamales que siguen, con un poco de lomo de puerco para dar sustancia al relleno, envueltos en hoja doble de maíz –pues siempre hay peligro de que se escurran los sesos, pese al lomo, los chiles verdes, la cebolla y el epazote– para cocerlos "en la manteca en la que se hacen los chicharrones".

También es de maíz la base de los antojitos que luego se presentan. Unos curiosos "tacos de pueblo" en los que, de manera heterogénea aunque bien hallada, se combinan el chicharrón con las sardinas y los charales con una salsa de chiles serranos. Continúan unas riquísimas quesadillas de hongos, lo cual resulta comprensible en lugares donde los del sombrero se comen y cultivan con enorme gusto.

Son variadísimos los antojos que disfruta la entidad. Desde los escamoles o la hueva de algunos moscos a ciertos gusanos o a los tlacoyos de maíz verde con su relleno de frijoles, requesón o habas, pasando –a dos carrillos– por muchísimas especialidades. Así los enjitomatados de la receta siguiente: tortillas fritas con una salsa de jitomate, chile y epazote, coronadas con cebolla rebanada y queso rallado, o las enchiladas de jitomate, con su relleno de pechuga deshebrada y el apetitoso baño de una mixtura de jitomates, ajo, cebolla y chipotle.

La fórmula para preparar mole verde quedó incluida en este primer apartado, pues lo mismo puede servir para un guiso de pollo o de puerco que para otros platillos. Tomates y chiles verdes, ajonjolí tostado y pepitas de calabaza –tostadas y molidas– son los elementos clave de la laboriosa y espesa salsa.

Varias recetas que exigen verduras, típicamente mexicanas, complementan la sección. Todas recurren a la técnica de la fritura y, salvo la última, también al rebozado en huevo. Sólo examinarlas produce cierta dentera. Véase, si no. Las tortas de flor de calabaza, los tallos de acelga y las cebollas a la azteca, son, de hecho, tres exquisiteces que parecen evocar procedimientos culinarios asiáticos.

Los inditos al balcón, por su parte, se asoman como lo que son: nopalitos tiernos. Y entre dos pencas cocidas, se fríe el frijol molido, tras de lo cual se pasa al baño de harina y al de huevo batido, se prosigue con la fritura crujiente y, al cabo, se puede servir esta suerte de emparedados nacionales, mas ello se debe hacer sobre una ensalada de lechuga, rodajas de jitomate y cebolla y rebanadas de aguacate.

De la región es, también, la propuesta de los quintoniles encebollados; hay que recordar que el amaranto –tan actual como alimento espacial– fue comida sagrada entre los pueblos nativos.

*¡Oh Juan, come y no mires, que a un sentido*
*le das celos con otro! ¿ Y quién pensara*
*que el fruto de la vida le quitara*
*lo hermoso, la razón de apetecido?*

*Poema 210*
SOR JUANA INÉS DE LA CRUZ

## Tamales de chile

- 1 k *harina cernida*
- 1/2 k *carne de pollo o de cerdo*
- 1/2 k *tomate verde*
- 350 g *manteca de cerdo*
- 10 *chiles serranos, verdes*
- 1 *cucharada de tequesquite*
- 1 *diente de ajo*
- · *sal, al gusto*
- · *hojas de maíz, remojadas y escurridas*

- Cocer los chiles y tomates, molerlos con el diente de ajo, freírlos luego. Agregar la carne, previamente cocida y cortada en trozos chicos.
- Disolver el tequesquite en media taza de agua tibia; cuando se asiente, agregar a la harina el agua del tequesquite y la manteca disuelta.
- Batir con la mano hasta que, al echar una bolita en medio vaso de agua, ésta pueda flotar. Si es necesario, se puede añadir un poco de caldo frío.
- Poner una cucharada de masa en cada hoja de maíz; acomodar en el centro un trozo de carne con salsa y envolverlo perfectamente.
- Cocer en la vaporera; cuando los tamales se desprendan de la hoja, significa que ya están cocidos.
- Rinde 20 raciones.

## Tamales de sesos

- 1/4 k *lomo de puerco, molido*
- 5 *chiles serranos verdes*
- 4 *hojas de epazote*
- 2 *cebollas*
- 1 *pieza de sesos de puerco*
- 1 *manojo de hojas secas de maíz*
- · *manteca*
- · *sal, al gusto*

- Picar los sesos finamente; revolverlos con los chiles, las cebollas y el epazote finamente picados; agregar un poco de sal y mezclar con la carne molida.
- Poner una cucharada de la mezcla en las hojas de maíz, envolver en hoja doble; se cortan las puntas de las hojas y se amarran bien, procurando formar un paquetito del que no se salga el relleno.
- Cocer en la manteca en la que se hacen los chicharrones. Escurrir y servir calientes.
- Rinde 6 raciones.

## Tacos de pueblo

- 24 *tortillas de maíz*
- 250 g *chicharrón*
- 3 *tazas de charales asados*
- 3 *aguacates grandes*
- 2 *jitomates*
- 1 *lata de sardinas en jitomate*
- 1 *cebolla*
- · *chiles serranos*
- · *ramas de cilantro*

- Picar los jitomates, la cebolla, los chiles, el cilantro y los aguacates.
- Cortar el chicharrón en pedacitos y desmenuzar la sardina.
- Revolver con lo picado y con los pescaditos.
- Preparar los tacos con las tortillas calientes y la mezcla; servir luego.
- Rinde 8 raciones.

## Quesadillas de hongos

*1 k masa de maíz*
*1/2 k hongos*
*3 cucharadas de cebolla picada*
*1 cucharadita de ajo picado*
*1 chile poblano*
*1 rama de epazote*
*· aceite*
*· sal, al gusto*

- Freír la cebolla; agregar el ajo y los hongos, limpios y picados.
- Tapar para que se cuezan a vapor, a fuego suave; agregar el chile en rajas. Añadir el epazote y sal, al gusto.
- Hacer tortillas con la masa y rellenarlas con los hongos.
- Doblarlas y cocerlas en el comal.
- Servir con guacamole o salsa de jitomate, al gusto.
- Rinde 6 raciones.

## Enjitomatados

*6 tortillas frías*
*50 g queso fresco, rallado*
*2 tazas de jitomate regular*
*5 cucharadas de aceite*
*1 cebolla de tamaño regular*
*1 diente de ajo*
*1 chile verde asado*
*1 rama grande de epazote*
*· sal, al gusto*

- Cortar las tortillas en trozos chicos; dorarlas en el aceite.
- Agregar el jitomate molido con el chile, ajo y un cuarto de la cebolla.
- Dejar hervir un poco; añadir luego la rama de epazote y sal, al gusto.
- Rebanar el resto de la cebolla y, para servir, ponerla por encima de la preparación con el queso espolvoreado.
- Rinde 6 raciones.

## Enchiladas de jitomate

*18 tortillas, ligeramente fritas y escurridas*
*50 g queso rallado*
*6 jitomates asados*
*1 pechuga de pollo cocida, deshebrada*
*1 cucharada de manteca*
*1 cebolla picada*
*1 chipotle en vinagre*
*1 diente de ajo, asado*
*· mantequilla*

- Moler los jitomates, ajo, cebolla y chipotle. Freír esta salsa en la manteca caliente.
- Colocar las tortillas, mojadas en la salsa, en un platón ligeramente engrasado con mantequilla.
- Rellenarlas con el pollo; enrollarlas en forma de taquito.
- Bañar con el resto de la salsa y espolvorear con el queso.
- Meter a horno caliente, durante diez minutos, antes de servir.
- Rinde 6 raciones.

## Mole verde

| | |
|---|---|
| *1 k* | *tomate verde* |
| *1/4 k* | *pepitas de calabaza* |
| *125 g* | *chile serrano* |
| *100 g* | *ajonjolí* |
| *1/2* | *taza de aceite* |
| *8* | *ramitas de cilantro* |
| *6* | *ramas de perejil* |
| *3* | *hojas de lechuga* |
| *1* | *chile poblano* |
| *1* | *clavo* |
| *1* | *diente de ajo* |
| *1* | *rajita de canela* |
| *1* | *rebanada de cebolla* |
| · | *un poco de caldo* |
| · | *sal, al gusto* |

- Freír los tomates y los chiles verdes en el aceite; molerlos luego con todos los ingredientes, excepto el ajonjolí y las pepitas.
- Tostar el ajonjolí; molerlo y agregar a los ingredientes que previamente se molieron.
- Freír todo lo molido y añadir las pepitas, tostadas y molidas con el caldo. Dejar sazonar el mole, a fuego suave; ponerle sal, al gusto.
- Rinde 20 raciones.

## Tortas de flor de calabaza

| | |
|---|---|
| *4* | *huevos* |
| *2* | *ramos de flor de calabaza* |
| *150 g* | *queso añejo, en rebanadas* |
| · | *un poco de harina* |
| · | *aceite* |
| · | *sal, al gusto* |
| | *Salsa* |
| *300 g* | *tomates verdes* |
| *2* | *cucharadas de aceite* |
| *1/4* | *cucharadita de cominos* |
| *2* | *dientes de ajo* |
| *1* | *cebolla pequeña* |
| · | *chiles verdes* |
| · | *cilantro* |
| · | *un poco de caldo* |

- Limpiar y lavar la flor de calabaza; partirla a lo largo.
- Distribuir y colocar las mitades cortadas una sobre otra (en juegos de, por lo menos, tres mitades); añadir, enseguida, una rebanada de queso y, encima, otro tanto igual de mitades de flores.
- Se arreglarán, así, en forma de tortas, enharinarlas y, a continuación, se meten al huevo previamente batido (para capearlas).
- Se fríen en aceite caliente.
- Rinde 6 raciones.

**Salsa**

- Moler todos los ingredientes con un poco de caldo.
- Freírlos en aceite; sazonar con sal y dejar hervir.
- Sumergir las tortas en la salsa; cocerlas durante diez minutos.
- Servirlas calientes.

## Tallos de acelga rebozados

*1/2 k tallos de acelgas, grandes y gruesos*
*1/2 taza de harina de trigo integral*
*1/2 vaso de agua o leche agria*
*1 cucharada de ajo picado*
*2 cucharaditas de cebolla picada*
*1/4 cucharadita de polvo para hornear*
*1 huevo*
*· aceite*
*· sal, al gusto*

- Colocar al fuego un recipiente con agua suficiente; al soltar el hervor, poner los tallos, la cebolla, ajo y sal.
- Cuando los tallos estén cocidos, escurrirlos.
- Por separado, mezclar la harina, el huevo, polvo para hornear y leche agria o agua, para que la pasta quede ligeramente suelta.
- Sumergir los tallos en la pasta y freírlos en aceite caliente.
- Servir los tallos con salsa de jitomate o ensalada.
- Rinde 6 raciones.

## Cebollas a la azteca

*1/2 k cebollas grandes*
*1 taza de agua*
*1 taza de harina de trigo*
*1/2 taza de harina de maíz*
*1 cucharadita de polvo para hornear*
*1 huevo*
*· sal, al gusto*

- Mezclar las dos harinas, el polvo para hornear y la sal; incorporar el huevo revuelto y agua fría.
- Cortar las cebollas en rodajas anchas; pasar cada rodaja por la mezcla anterior y freírlas en aceite caliente.
- Estas cebollas se pueden servir con guacamole.
- Rinde 8 raciones.

## Inditos al balcón

*12 nopales tiernos, chicos*
*2 tazas de frijol de soya molido*
*1/2 taza de harina de trigo*
*6 rábanos*
*3 huevos*
*1 aguacate*
*1 cebolla chica*
*1 jitomate*
*1 lechuga romanita*
*1 trozo de cebolla*
*· aceite*
*· sal, al gusto*

- Cocer los nopales enteros con un trozo de cebolla y sal; escurrirlos y secarlos.
- Untar sobre cada nopal una cucharada de frijol molido; cubrirlo con otro nopal.
- Enharinar y capear cada uno de estos preparados con huevo batido. Freírlos luego en aceite caliente.
- Colocarlos sobre una ensalada de lechuga, rodajas de jitomate y cebolla y rebanadas de aguacate.
- Adornar con los rabanitos abiertos en flor.
- Rinde 6 raciones.

# Quintoniles encebollados

*1 k quintoniles limpios*
*1/2 taza de caldo*
*2 cucharadas de aceite*
*2 dientes de ajo, picados*
*2 cebollas rebanadas*
*· sal, al gusto*

- Quitar los tallos gruesos a los quintoniles y lavarlos muy bien.
- Acitronar ajos y cebollas en el aceite.
- Agregar los quintoniles, mover de vez en cuando; agregar el caldo y sazonar al gusto.
- Cocer a fuego lento; cuando reseque, servir.
- Rinde 6 raciones.

# III
# Caldos, Sopas y Pastas

## CALDOS, SOPAS Y PASTAS

Grato capítulo integra la selección de recetas que propone la cocina familiar de la entidad para iniciar adecuadamente la comida, ya sea con una buena "sopa aguada" o alguna apetitosa "sopa seca".

Pese a la lejanía del mar, abre el muestrario la fórmula de un caldo largo de pescado que conoce el secreto de los chiles cuaresmeños y, sobre todo, el de la cabeza del animal, con todo y sus gelatinas, para dar mayor y mejor sabor al caldo.

El consomé de pollo, acto seguido, se enriquece con almendras y chile chipotle. Excelente variante –famosa en el Desierto de los Leones y otros lugares del estado– es la del consomé de champiñones, cuya mexicana sustancia se logra con elote desgranado y flor de calabaza.

Nutritiva, capaz de revivir a cualquiera –y típica en los alrededores del Distrito Federal–, se presenta la sopa de médula con sus zanahorias, chayotes, papas y jitomates, para mayor consistencia. La tradicional sopa de tortillas pide, a su vez, una sólida base de caldo de frijol y el blanco maná del queso rallado.

La sopa de frijoles va con tocino. Es sencilla, práctica y alimenticia. El apio preside la siguiente fórmula, pues tanto la verdura picada como su jugo se combinan con harina de trigo integral para ofrecer el delicioso platillo. Una atractiva crema de calabacitas se imprime a continuación, en ella las amables cucurbitáceas se incorporan, suaves y propicias, al caldo de pollo y a la leche.

La vecindad de la gigantesca urbe capitalina seguramente ha impulsado el pragmatismo de los mexiquenses, sin haberlos hecho perder –por fortuna– el gusto por el solar nativo. Quizá por ello el utilitarismo de las dos sopas rápidas que luego se ofrecen no disminuye su calidad y buen sabor. La primera es una versión simplificada de la elaborada receta francesa de sopa de cebolla y se condimenta con semillas de alcaravea, y la segunda complace el paladar con una sopa de jitomates sin recurrir a las latas que, a fuerza de artificios, suelen contener un producto dulzón y, evidentemente, menos agradable.

Entre las "sopas secas", el recetario propone algunos guisos encomiables. Deleitosos son, por ejemplo, los macarrones con hongos. Conviene no cocer demasiado la pasta, sino dejarla durita, "al dente", al igual que en el caso del spaghetti verde, donde el chile poblano y algunos lácteos armonizan maravillosamente con la herencia italiana de los gordos fideos.

Misterioso, diferente, quizá un tanto oriental, el arroz en pastete convierte el blanco grano integral en una pasta incitante con el apoyo de algunas verduras –apio y zanahorias–, un par de huevos, un puño de nueces picadas y la sabiduría del horno. Se trata, en verdad, de una preparación ejemplar.

La sección se cierra de manera bíblica. Se proponen unas lentejas guisadas. Y estas provocativas leguminosas se ofrecen, en la ocasión, en la sana y dulce compañía de las frutas, pues se enredan con trocitos de piña y de perones para bañarse en salsa de jitomate.

*Lo mejor de las lentejas: si no las quieres, las dejas*

## Caldo largo de pescado

*1 k pescado en rebanadas*
*1 cabeza de pescado*
*4 jitomates*
*3 dientes de ajo*
*2 chiles cuaresmeños*
*1 cebolla de tamaño regular*
*1 ramita de cilantro*
*· aceite*

- Picar la cebolla, jitomates, ajos y freírlos en aceite caliente.
- Agregar dos litros de agua; añadir el cilantro y los chiles cuaresmeños partidos en tiras, las rebanadas de pescado, la cabeza partida y sal.
- Hervir a fuego lento, hasta que el pescado esté bien cocido y el caldo sazonado.
- Rinde 8 raciones.

## Consomé de pollo

*2 pechugas de pollo*
*1/2 k tomates verdes*
*100 g almendras*
*2 dientes de ajo*
*1 cebolla grande*
*1 chipotle seco*
*· aceite*
*· sal, al gusto*

- Cocer las pechugas con sal, ajo y media cebolla, en dos litros de agua.
- Aparte, freír en aceite caliente el resto de la cebolla y los tomates picados, las almendras limpias y picadas y el chipotle en pedacitos.
- Agregar el caldo de pollo, colado, y la carne de las pechugas, deshebrada. Dejar hervir durante diez minutos y servir caliente.
- Rinde 8 raciones.

## Consomé de champiñones

*1 pechuga de pollo*
*1/2 k champiñones*
*1/4 k flor de calabaza*
*3 dientes de ajo*
*1 cebolla picada*
*1 elote tierno, desgranado*
*· chiles jalapeños picados*
*· epazote y sal, al gusto*

- Lavar los champiñones y rebanarlos; cocerlos a fuego lento, en dos litros de agua, con la pechuga; poner sal al gusto.
- Picar la flor de calabaza, la cebolla, los dientes de ajo, el epazote y los chiles.
- Agregar el caldo, cuando esté hirviendo, las verduras picadas y los granos de elote.
- Dejar al fuego hasta que estén cocidos. Servir luego.
- Rinde 8 raciones.

## *Sopa de médula*

| | |
|---|---|
| 1 k | *médula limpia* |
| 2 | *litros de agua* |
| 1 | *taza de puré de jitomate* |
| 3 | *zanahorias* |
| 2 | *chayotes* |
| 2 | *jitomates cocidos* |
| 2 | *chiles chipotle, en adobo* |
| 2 | *papas* |
| 1 | *trozo de cebolla* |
| · | *consomé en polvo* |
| · | *sal y pimienta, al gusto* |

- Cocer la médula en el agua, con sal, el consomé en polvo y un poco de pimienta; ya que esté cocida, quitarle las hebritas duras y cortarla en pedacitos regulares; apartar el caldo.
- Poner al fuego el caldo que se apartó con la médula y la verdura cortada en trocitos.
- Moler y freír, aparte, los jitomates con los chiles, cebolla y puré de jitomate; añadir a la sopa de médula.
- Cocinar y sazonar al gusto.
- Rinde 8 raciones.

## *Sopa de tortillas*

| | |
|---|---|
| 10 | *tortillas frías* |
| 50 g | *queso rallado* |
| 6 | *tazas de frijoles, cocidos con su caldo* |
| 2 | *jitomates* |
| 1 | *diente de ajo* |
| 1 | *rama de epazote* |
| 1/2 | *cebolla* |
| · | *manteca* |
| · | *sal, al gusto* |

- Cortar las tortillas en tiritas; freírlas en la manteca caliente; escurrir y apartar.
- Moler los jitomates, cebolla y ajo; colarlos y freírlos en manteca, sazonar al gusto.
- Moler los frijoles con su caldo; colarlos luego y agregarlos al jitomate. Dejar hervir con una rama de epazote; el caldillo no debe quedar espeso.
- Poner las tiritas fritas de tortilla en el caldillo.
- Espolvorear con el queso y servir luego.
- Rinde 6 raciones.

## *Sopa de frijoles*

| | |
|---|---|
| 1 1/2 | *litros de caldo* |
| 50 g | *tocino* |
| 2 | *tazas de frijol, cocido y molido* |
| 1 | *cucharada de aceite* |
| 1/4 | *cucharadita de cominos* |
| 2 | *dientes de ajo* |
| 1 | *jitomate cocido* |
| 1 | *trozo de cebolla* |
| · | *sal y pimienta, al gusto* |

- Freír el tocino picado.
- En la misma grasa freír el jitomate, cebolla, ajos, cominos y pimienta, previamente molidos.
- Moler perfectamente los frijoles y añadirlos a la salsa, con el tocino; sazonar al gusto.
- Agregar el caldo; hervir durante diez minutos.
- Rinde 8 raciones.

## *Sopa de apio*

- 4 *tazas de agua*
- 2 *tazas de apio picado*
- 2 *tazas de jugo de apio*
- 1/2 *taza de harina de trigo integral*
- 4 *cucharadas de aceite*
- 2 *cucharadas de cebolla picada*
- 2 *dientes de ajo, picados*
- · *sal y consomé en polvo*

- Acitronar cebolla y ajos; agregarles la harina, a que dore.
- Agregar el agua; mover constantemente para que no se formen grumos; añadir sal y consomé en polvo, al gusto.
- Hacer el jugo de apio, moliendo el tallo y las hojas.
- Poner en el caldo el jugo y el apio picado; retirar en cuanto la preparación hierva. Servir luego.
- Rinde 8 raciones.

## *Crema de calabacitas*

- 1/2 k *calabacitas*
- 1 *litro de caldo de pollo*
- 1/2 *litro de leche*
- 1/4 *barrita de mantequilla*
- · *sal y pimienta, al gusto*

- Lavar las calabacitas y quitarles las puntas; ponerlas a cocer en el caldo. Licuarlas, ya cocidas, con un poco de caldo.
- Fundir la mantequilla; agregarle las calabacitas molidas, el caldo en el que se cocieron y la leche.
- Sazonar con sal y pimienta, al gusto, y dejar hervir tres minutos.
- Servir luego.
- Rinde 6 raciones.

## *Sopa de cebolla*

- 1 1/2 *litros de caldo*
- 1 *taza de queso rallado*
- 2 *cucharadas de mantequilla*
- 1 *cucharada de harina*
- 1 *cucharadita de semillas de alcaravea (opcional)*
- 6 *rebanadas de pan francés, tostadas*
- 4 *cebollas limpias, rebanadas*
- · *jugo de limón (unas gotas)*
- · *sal, al gusto*

- Acitronar las cebollas en la mantequilla y con las semillas de alcaravea, si se desea; agregarles la harina y freír.
- Añadir luego el caldo para que hierva a fuego lento, durante diez minutos, hasta que las cebollas estén suaves.
- Agregar el jugo de limón y sal al gusto.
- Servir la sopa caliente en platos hondos, sobre el pan tostado y espolvorear con queso rallado.
- Si prefiere, introdúzcala en el horno para que se gratine el queso. Puede acompañarse con una ensalada.
- Rinde 6 raciones.

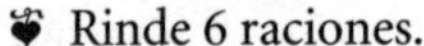

## Sopa de jitomate

| | |
|---|---|
| 250 g | *jitomates molidos* |
| 1 1/2 | *litros de agua* |
| 25 g | *mantequilla* |
| 2 | *ramas de apio, picadas* |
| 1 | *cebolla pelada, picada* |
| 1 | *pizca de azúcar* |
| · | *sal, al gusto* |

- Freír cebolla y apio en la mantequilla, agregar los jitomates y el agua.
- Hervir a fuego lento hasta que las verduras estén cocidas.
- Licuar con una pizca de azúcar y sal. Colar.
- Cocer durante quince minutos. Servir.
- Rinde 6 raciones.

## Macarrón con hongos

| | |
|---|---|
| 1/2 k | *hongos* |
| 300 g | *jitomate* |
| 250 g | *macarrón cocido* |
| 6 | *cucharadas de aceite* |
| 3 | *cucharadas de perejil picado* |
| · | *mantequilla* |
| · | *sal y pimienta, al gusto* |

- Moler el jitomate, colarlo y freírlo en el aceite; agregar los hongos y sazonar al gusto.
- Engrasar con mantequilla un refractario; colocar una capa de macarrón, otra de jitomate con hongos; terminar con jitomate y perejil.
- Meter en horno caliente durante quince minutos.
- Rinde 6 raciones.

## Spaghetti verde

| | |
|---|---|
| 1 | *paquete de spaghetti* |
| 1 | *taza de leche* |
| 1/4 | *litro de crema* |
| 2 | *cucharadas de aceite* |
| 2 | *cucharadas de cebolla picada* |
| 2 | *chiles poblanos asados, limpios* |
| 1 | *trozos de cebolla* |
| 1 | *hoja de laurel* |
| 1/2 | *barra de mantequilla* |
| · | *sal, al gusto* |

- Cocer los spaghetti en suficiente agua con sal, el trozo de cebolla, laurel y una cucharada de aceite; ya que la pasta esté cocida, retirarla y escurrirla perfectamente.
- Moler el chile poblano, la cebolla picada, la crema y la leche; freír la preparación en la mantequilla y el resto del aceite.
- Sazonar con sal y pimienta; añadirle los spaghetti, revolver y dejar en el fuego unos cuantos minutos. Servir.
- Rinde 6 raciones.

## *Arroz en pastete*

| | |
|---|---|
| *1/2 k* | *arroz integral* |
| *50 g* | *nuez picada* |
| *1* | *taza de zanahorias, finamente ralladas* |
| *1/2* | *taza de apio (hojas y tallo), finamente picado* |
| *8* | *cucharadas de aceite* |
| *2* | *cucharadas de cebolla* |
| *2* | *cucharadas de perejil picado* |
| *2* | *huevos* |
| *1* | *diente de ajo* |
| · | *sal, al gusto* |

- Cocer el arroz con sal; ya cocido y seco, molerlo.
- Acitronar el ajo y la cebolla, picados, en aceite; agregar el apio, la zanahoria y el perejil crudos, los huevos revueltos, sal al gusto y el arroz molido. Revolver
- Vaciar esta pasta en una cazuela engrasada.
- Cocer en el horno; cuando dore, retirarla.
- Espolvorear la nuez picada y servir.
- Rinde 10 raciones.

## *Lentejas guisadas*

| | |
|---|---|
| *1/4 k* | *lentejas* |
| *200 g* | *jitomate* |
| *4* | *cucharadas de aceite* |
| *2* | *perones* |
| *1* | *diente de ajo* |
| *1* | *rebanada de piña* |
| *1* | *trozo de cebolla* |
| · | *sal, al gusto* |

- Cocer las lentejas en litro y medio de agua con sal.
- Freír el jitomate molido y colado con la cebolla y el ajo, en aceite; dejar sazonar.
- Agregar las lentejas cocidas junto con el caldo en el que se cocieron.
- Incorporar trocitos de piña y los perones, sin cáscara y cortados en pedazos pequeños.
- Dejar hervir unos minutos más; servir luego.
- Rinde 6 raciones.

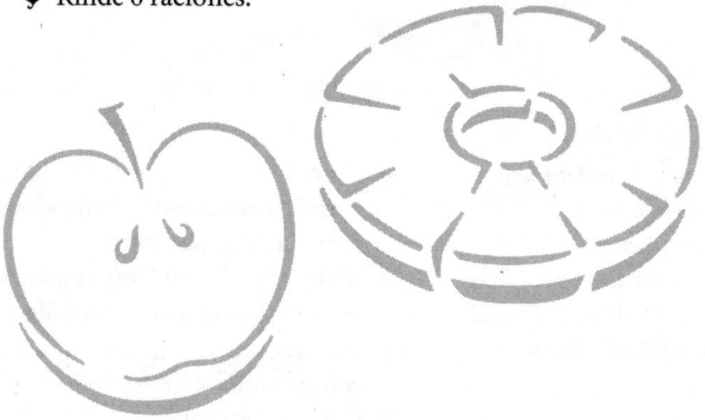

# Pescados y Verduras

# III
## PESCADOS Y VERDURAS

La ubicación central –distante de la costa– y el buen tino de su gente, ha propiciado el atractivo desarrollo de la acuacultura en los numerosos depósitos y riachuelos de las zonas montañosas del Estado de México. Mas, por otra parte, la propia posición geográfica de la entidad le ha permitido acceder siempre a diversos mercados de pescados y mariscos, hacia los cuales la cocina regional ha demostrado siempre una gustosa inclinación.

Vale empezar con un lujoso ofrecimiento: camarones en chile rojo; esto es, que los crustáceos se aliñan con chiles anchos, jitomates, papas, cebolla, ajo y una ramita de epazote. Continuar con una oferta singular: tortas de hueva de pescado, la cual debe ser –preferentemente– de lisa, y lograr su consistencia exacta con verduras y un par de huevos batidos a punto de nieve. Y proseguir con una fórmula cotidiana: albóndigas de pescado, en las que se aprovecha la especie que se pueda hallar, la más fresca y de mejor precio.

Siguen dos recetas marineras llegadas del sureste. Son la del pan de cazón –tan apetitoso con sus frijoles colados y su caldillo de jitomate– y la del fino robalo en achiote, cuyo origen enmarca la petición de sazonarlo con jugo de naranjas agrias y servirlo con cebollas moradas, en escabeche.

Con sustanciosos bagres y truchas frescas se preparan, localmente, platillos excelentes. Famosos empiezan a ser los criaderos estatales de truchas y aquí se incluye una sencilla receta para prepararlas "en jardín", es decir, con chícharos y zanahorias y una ramita de perejil.

Si de verduras se trata, el huerto estatal rinde una cosecha variada. La selección es, así, abundante y diversa. Van por delante una ensalada de juanes– una raíz local–, combinación dominguera que se trabaja con nopales y chicharrón, y otra de garbanzos sumamente nutritiva, con huevo picado, en una clásica vinagreta. La fina berenjena se presenta encebollada. Y luego se asoman los gustados hongos regionales, en formas variadas. En asado –para lo cual se recomienda emplear aceite de oliva, ajo y cebolla picados, papas, perejil y hierbas de olor– o en chile pasilla, caso en el que, además del chile, se aderezan con tomate verde. Otra posibilidad es la de cocinarlos con chícharos y lograr la sazón precisa con una pizca de cominos.

A las tradicionales y mexicanas calabacitas, la siguiente fórmula les incorpora papas y también hongos, y las adereza bien con un sofrito de jitomates, ajo y cebolla, más algunas hierbas de olor.

La variedad de los cultivos estatales permite contar con verduras selectas y atender, incluso, fórmulas que evocan otras latitudes. Los brécoles (broccoli) italianos –que en el Extremo Oriente se consumen casi crudos– se recomiendan con una notable salsa de crema. La col morada "a la reina" se hornea con perones, cebolla y perejil; servida en frío, profusamente adornada, es preparación sumamente original.

*En cada arbusto se vislumbra un nido,*
*un corimbo de flores, una poma,*
*o un cándido panal de miel henchido.*

*Otumba*
Joaquín Arcadio Pagaza

Con una gran col se confeccionan unos rollitos rellenos de verduras –zanahorias, papas, perejil y nuez– que se bañan en salsa de jitomate. Por su parte, las colecitas de Bruselas se aconsejan con champiñones y jitomates picados; sazonadas además con cominos y salsa de soya, estas colecitas de extranjero acento constituyen un sabrosísimo potaje.

Tres verdes y floridas recetas del huerto nacional concluyen el apartado. Los ejotes al horno –con pan molido, mantequilla y huevos–, un deleite; las acelgas con papas –con sus rajas de pimiento, ajo, cebolla y perejil–, humildes pero sabrosas; y los chayotes con rajas (de chile poblano) –horneados con queso, crema y mantequilla–, elaboración insigne y recomendable.

## Camarón en chile rojo

| | |
|---|---|
| 1/2 k | *camarones frescos* |
| 6 | *chiles anchos* |
| 2 | *dientes de ajo* |
| 2 | *jitomates* |
| 2 | *papas* |
| 1 | *cebolla mediana* |
| 1 | *ramita de epazote* |
| · | *aceite* |
| · | *sal y pimienta, al gusto* |

- Tostar y desvenar los chiles, remojarlos en agua tibia y molerlos con los dientes de ajo.
- Cocer los camarones en dos litros de agua con sal, pimienta y el epazote; quitarles luego el caparazón, patas y cabeza.
- Asar los jitomates, molerlos y freírlos en aceite; agregar los chiles molidos y la cebolla picada.
- Añadir el camarón y las papas –sin cáscara y cortadas en tiras– con un poco del caldo en el que se cocieron los camarones.
- Retirar del fuego cuando las papas estén cocidas y el caldillo espeso.
- Rinde 6 raciones.

## Truchas en jardín

| | |
|---|---|
| 1 k | *truchas, en filetes* |
| 250 g | *chícharos cocidos* |
| 4 | *dientes de ajo, picados* |
| 2 | *zanahorias cocidas, picadas* |
| 1 | *ramita de perejil* |
| · | *aceite* |
| · | *sal y pimienta, al gusto* |

- Freír los ajos en aceite caliente; retirarlos cuando doren.
- Freír los filetes de pescado en el mismo aceite.
- Añadir los chícharos, el perejil picado, las zanahorias, sal y pimienta.
- Agregar un poco de agua y dejar sazonar.
- Rinde 8 raciones.

## Albóndigas de pescado

| | |
|---|---|
| 1/2 k | *jitomates* |
| 1/2 k | *pescado sin espinas, molido* |
| 3 | *cucharadas de perejil* |
| 1 | *cucharada de cilantro* |
| 2 | *chiles poblanos asados, pelados y picados* |
| 2 | *dientes de ajo, picados* |
| 2 | *huevos crudos* |
| 1 | *diente de ajo* |
| 1 | *trozo de cebolla* |
| 1/2 | *bolillo, remojado en leche y un poco de vinagre* |
| 1/2 | *cebolla picada* |
| · | *aceite* |
| · | *sal y pimienta, al gusto* |

- Revolver el pescado con el bolillo, los huevos, ajos, sal, pimienta, perejil, cilantro, chiles y cebolla, picados.
- Moler los jitomates con el trozo de cebolla y el ajo; freír y agregar un poco de agua para hacer un caldillo.
- Moldear las albóndigas con la pasta y cocerlas en el caldillo hirviendo. Retirarlas cuando estén cocidas y servirlas.
- Rinde 6 raciones.

## Pan de cazón

- *1 k cazón, en rebanadas*
- *1/2 k cebolla*
- *1/2 k jitomate*
- *24 tortillas*
- *3 chiles verdes*
- *1 taza de frijoles, cocidos y colados*
- *1 rama de epazote*
- *· sal y pimienta, al gusto*

- Cocer el cazón en suficiente agua, con el epazote y una pizca de sal.
- Aparte, cocer los chiles con los jitomates y molerlos.
- Quitar el pellejo al cazón y desmenuzarlo completamente; dejarlo reposar, poniéndole sal y pimienta al gusto.
- Freír la cebolla picada; agregarle el jitomate molido y dos hojas de epazote; cuando la preparación reseque, añadir una taza del caldo en que hirvió el cazón, colado; hervir hasta que espese.
- Freír las tortillas ligeramente, pasarlas por la salsa.
- Ponerles luego una capa de frijol colado, otra de cazón y taparlas con otra tortilla mojada en salsa.
- Rinde 8 raciones.

## Pescado en achiote

- *3/4 k robalo, en rebanadas*
- *3 cucharadas de achiote*
- *2 naranjas agrias (el jugo)*
- *1 cebolla morada, rebanada*
- *· orégano y sal, al gusto*
- *· vinagre*

- Diluir el achiote en un poco de vinagre.
- Cubrir los filetes con el jugo de naranja, el achiote diluido y sal. Dejarlos reposar.
- Freír filete por filete; acomodarlos en un platón.
- Servirlos con la cebolla en escabeche.
- Rinde 6 raciones.

**Cebolla en escabeche**

- Hervir la cebolla en un cuarto de taza de vinagre, con orégano y sal, durante unos instantes.

## Tortas de hueva de pescado

- *1/2 k hueva (preferentemente de lisa)*
- *4 jitomates*
- *2 dientes de ajo*
- *2 huevos*
- *1 cebolla*
- *1 rama de perejil*
- *· aceite*
- *· chiles verdes*
- *· sal, al gusto*

- Poner a hervir la hueva; cuando esté bien cocida, quitarle el pellejo. Dejarla secar y molerla.
- Picar los jitomates, cebolla, perejil y ajos; revolver con la hueva.
- Batir los huevos a la nieve; incorporarlos a la mezcla anterior; sazonar con sal y hacer tortitas.
- Freírlas en aceite caliente y servir con arroz blanco. Si se desean picosas, agregar los chiles verdes.
- Rinde 8 raciones.

## *Ensalada de juanes*

- 1/2 k *nopales cocidos con sal*
- 1/4 k *juanes cocidos (camotes de Atlacomulco)*
- 300 g *jitomate picado*
- 300 g *papas pequeñas, cocidas*
- 125 g *chicharrón delgado de puerco*
- 125 g *queso fresco*
- 4 *cucharadas de cebolla picada*
- 4 *cucharadas de cilantro picado*
- · *chiles serranos, asados*
- · *sal, al gusto*

- Picar los juanes, los chiles, el jitomate, la cebolla, el cilantro y los nopales (en trozos muy pequeños).
- Revolver todo y sazonar con sal al gusto.
- Adornar con el chicharrón, el queso y las papitas.
- Rinde 6 raciones.

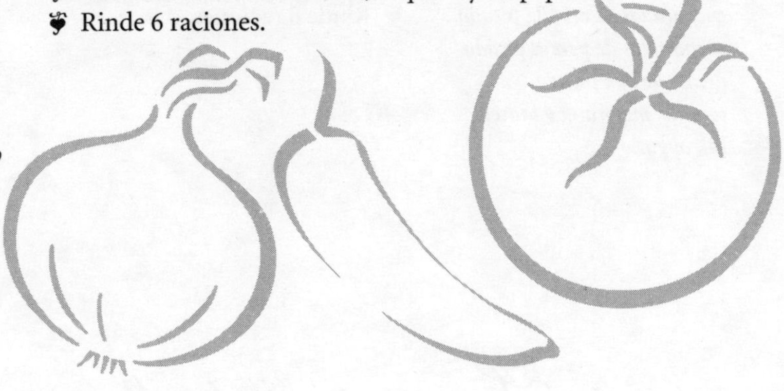

## *Ensalada de garbanzos*

- 2 *tazas de garbanzos*
- 2 *cucharadas de cebolla, picada finamente*
- 2 *cucharadas de perejil, picado*
- 3 *huevos cocidos, picados finamente*
- · *sal y pimienta, al gusto*
- · *aceite y vinagre*

- Mezclar en la ensaladera los garbanzos (remojados y cocidos) con los demás ingredientes.
- Sazonar con sal, pimienta, aceite y vinagre, al gusto.
- Rinde 6 raciones.

## *Berenjena encebollada*

- 1 k *berenjenas*
- 1 *taza de caldo o de agua*
- 4 *cucharadas de aceite*
- 3 *cucharadas de perejil*
- 2 *cebollas grandes*
- · *sal, al gusto*

- Rebanar las cebollas en rodajas; acitronarlas luego en aceite caliente.
- Agregar las berenjenas, limpias y rebanadas a lo largo; añadir el perejil finamente picado y el caldo.
- Cocer a fuego lento, sazonar con sal.
- Retirar cuando las berenjenas resequen.
- Rinde 6 raciones.

## Hongos en asado

| | |
|---|---|
| *1 k* | *hongos* |
| *1/2 k* | *jitomate picado* |
| *1/2 k* | *papas chiquitas* |
| *6* | *cucharadas de aceite de oliva* |
| *4* | *cucharadas de cebolla picada* |
| *2* | *cucharadas de perejil picado* |
| *1* | *diente de ajo, picado* |
| · | *tomillo, mejorana y laurel* |
| · | *sal, al gusto* |

- Acitronar el ajo y la cebolla en el aceite caliente.
- Agregar los hongos, limpios y picados; perejil, sal, jitomate y las papas, cocidas y sin cáscara. Añadir las hierbas de olor.
- Cocer a fuego lento, durante veinte minutos; retirar y servir.
- Rinde 8 raciones.

## Hongos en chile pasilla

| | |
|---|---|
| *1 k* | *hongos limpios* |
| *1/2 k* | *tomates verdes* |
| *4* | *cucharadas de aceite* |
| *2* | *cucharadas de cebolla picada* |
| *1* | *diente de ajo, picado* |
| · | *chiles pasilla* |
| · | *sal, al gusto* |

- Desvenar, remojar y moler los chiles con la cebolla, ajo y tomates.
- Freír en el aceite, a que la preparación reseque.
- Agregar los hongos, rebanados, con agua suficiente para cubrirlos.
- Cocer durante veinticinco minutos, a fuego suave.
- Sazonar con sal, al gusto; servir luego.
- Rinde 6 raciones.

## Chícharos con hongos

| | |
|---|---|
| *3* | *tazas de chícharos limpios* |
| *2* | *tazas de agua* |
| *2* | *tazas de hongos, limpios y rebanados* |
| *4* | *cucharadas de aceite* |
| *2* | *cucharadas de cebolla picada* |
| *2* | *dientes de ajo, picados* |
| *1* | *pimiento* |
| *1* | *pizca de cominos* |
| · | *sal, al gusto* |

- Cocer los chícharos en agua hirviendo con sal.
- Freír el pimiento en rajas, la cebolla y los ajos en el aceite.
- Agregar el agua en la que se cocieron los chícharos.
- Añadir los hongos; cuando estén cocidos, incorporar los chícharos, cominos y sal al gusto.
- Rinde 6 raciones.

## Calabacitas en asado

| | |
|---|---|
| 1/2 k | *calabacitas* |
| 1/2 k | *jitomates picados* |
| 1/2 k | *papas* |
| 1/4 k | *hongos limpios* |
| 6 | *cucharadas de aceite* |
| 1 | *cebolla* |
| 1 | *diente de ajo* |
| · | *hierbas de olor* |
| · | *sal, al gusto* |

- Picar las calabacitas, las papas y los hongos.
- Freír la cebolla en rodajas y el ajo picado; agregar las verduras picadas. Mover constantemente, a fuego lento.
- Añadir los jitomates picados, las hierbas de olor y sal al gusto; cocer a fuego lento.
- Rinde 8 raciones.

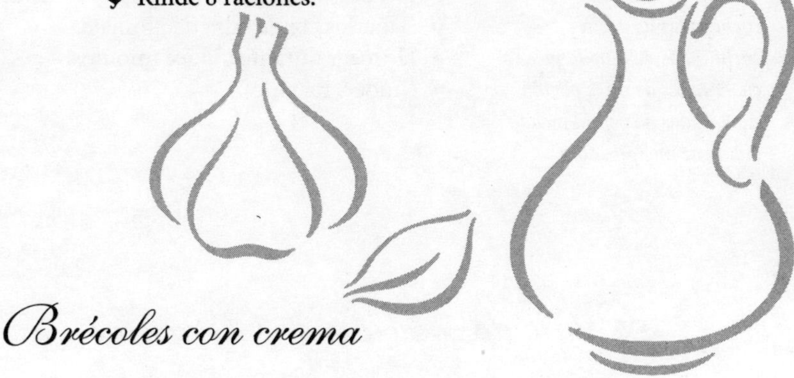

## Brécoles con crema

| | |
|---|---|
| 1 k | *brécoles (broccoli)* |
| 1/2 | *taza de crema* |
| 1/2 | *taza de leche* |
| 1/2 | *taza de perejil picado* |
| 1 | *diente de ajo* |
| 1/2 | *cebolla* |
| · | *mantequilla* |
| · | *sal, al gusto* |

- Cocer los brécoles, con ajo y cebolla, en agua suficiente.
- Engrasar con mantequilla un refractario.
- Mezclar la crema, la leche, el perejil y sal al gusto.
- Poner los brécoles cocidos en el refractario.
- Cubrirlos con la preparación anterior y hornearlos durante unos minutos. Servir luego.
- Rinde 6 raciones.

## Col morada a la reina

| | |
|---|---|
| 6 | *tazas de col morada, rebanada finamente* |
| 2 | *tazas de agua* |
| 1/2 | *taza de aceitunas* |
| 50 g | *mantequilla* |
| 3 | *cucharadas de cebolla, finamente picada* |
| 3 | *cucharadas de perejil, finamente picado* |
| 3 | *perones* |
| 2 | *aguacates* |
| 1 | *cebolla rebanada* |
| · | *hojas de lechuga romanita* |
| · | *sal, al gusto* |

- Engrasar un recipiente refractario; mezclar en él cebolla, perejil, col y los perones limpios y cortados en cuadritos.
- Sazonar al gusto y agregar el agua.
- Cocer en el horno a calor regular.
- Servir sobre hojas de romanita; adornar con rodajas de cebolla, tiras de aguacate y aceitunas.
- Servir en frío.
- Rinde 6 raciones.

## Col en rollos

| | |
|---|---|
| 1 | *col grande* |
| 1 | *taza de salsa de jitomate, sazonada* |
| 1/2 | *taza de papa, cocida y picada* |
| 8 | *cucharadas de zanahoria rallada* |
| 6 | *cucharadas de aceite* |
| 6 | *cucharadas de cebolla picada* |
| 6 | *cucharadas de nuez picada* |
| 3 | *cucharadas de perejil picado* |
| 1 | *diente de ajo, picado* |

- Cocer la col entera con sal, en baño María.
- Freír la cebolla y el ajo; agregarles la zanahoria y la papa; cocer durante cinco minutos.
- Retirar del fuego y añadir el perejil, la nuez y sal al gusto.
- Rellenar con la preparación las hojas de col; enrollarlas y hacer taquitos; acomodarlos en un recipiente refractario.
- Bañarlos con la salsa de jitomate.
- Hornear durante quince minutos.
- Rinde 8 raciones.

## Potaje de colecitas de Bruselas

| | |
|---|---|
| 1/2 k | *colecitas de Bruselas* |
| 1/2 k | *hongos (champiñones)* |
| 1/2 k | *jitomates* |
| 1 | *taza de agua caliente* |
| 5 | *cucharadas de aceite* |
| 4 | *cucharadas de salsa de soya* |
| 1 | *cebolla grande* |
| 1 | *diente de ajo, picado* |
| 1 | *pizca de cominos* |
| · | *sal, al gusto* |

- Acitronar la cebolla cortada en rodajas, con el ajo, en el aceite; agregar las colecitas limpias y los hongos picados.
- Incorporarles el agua caliente; cocer a fuego suave.
- Agregar los jitomates picados. Cuando el guiso ya esté seco, sazonar con los cominos, la salsa de soya y sal.
- Rinde 6 raciones.

## Ejotes al horno

| | |
|---|---|
| 1/2 k | *ejotes* |
| 1 | *taza de pan de trigo integral, molido* |
| 5 | *cucharadas de mantequilla* |
| 4 | *cucharadas de cebolla picada* |
| 2 | *dientes de ajo, picados* |
| 2 | *huevos* |
| · | *aceite* |
| · | *sal y pimienta, al gusto* |

- Cocer los ejotes limpios; partirlos a lo largo.
- Mezclar una taza del agua en la que se cocieron los ejotes con el pan molido, la mantequilla, los huevos y los ejotes.
- Freír la cebolla y los ajos en aceite; agregarles la mezcla anterior.
- Sazonar con pimienta y sal.
- Vaciar en un molde untado de mantequilla y espolvoreado con pan molido; hornear veinte minutos.
- Rinde 6 raciones.

## Acelgas con papas

| | |
|---|---|
| 1/2 k | *acelgas picadas* |
| 1/2 k | *papas limpias, picadas* |
| 1 | *taza de agua caliente* |
| 4 | *cucharadas de aceite* |
| 3 | *cucharadas de cebolla picada finamente* |
| 2 | *cucharadas de perejil picado* |
| 3 | *dientes de ajo, finamente picados* |
| 2 | *pimientos rojos* |
| · | *sal, al gusto* |

- Freír las papas con los ajos, la cebolla y los pimientos cortados en rajas, en el aceite caliente.
- Agregar las acelgas y el agua.
- Taparlo y ponerlo a fuego lento; sazonar con sal al gusto.
- Unos minutos antes de servir, añadir el perejil.
- Rinde 6 raciones.

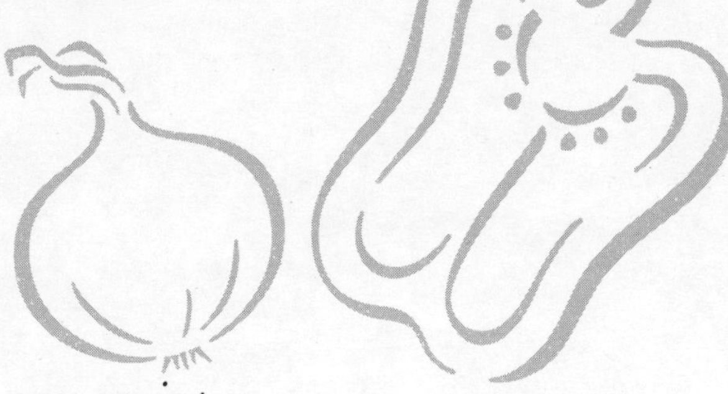

## Chayotes con rajas

| | |
|---|---|
| 6 | *chayotes* |
| 1 | *taza de crema* |
| 1/2 | *taza de queso amarillo rallado* |
| 5 | *chiles poblanos asados, limpios y en rajas* |
| 1/2 | *barra de mantequilla* |
| · | *sal y pimienta, al gusto* |

- Cocer los chayotes con sal; pelarlos y rebanarlos en ruedas delgadas.
- Engrasar un molde de horno con mantequilla; acomodar ahí las rebanadas de chayote, alternadas con rajas de chile poblano.
- Espolvorear con sal y pimienta, queso, crema y trocitos de mantequilla. Hornear para que la preparación gratine.
- Rinde 6 raciones.

# IV
# Aves y Carnes
AVES Y CARNES

A los abrevaderos del río Lerma llegan las aves migratorias. Quizá de por esa zona llegó también la receta de los pichones con col que inicia este apartado de la cocina familiar en el estado. El platillo, apoyado en un poco de pancita y con el gusto del vino blanco, es fino y atractivo.

Tocino, jamón, jitomates y cebollas, y sobre todo, higaditos y mollejas de pollo componen otro guiso original y apetitoso. Del vecino Michoacán arriba, enseguida, un excelente cuñete de pollo –con sus hierbas de olor, vinagre y vino blanco– para servirse en frío. Y luego sigue, tan aromático que trasciende, un pollo con hojas de aguacate, santamente horneado.

Tras los volátiles, aparecen los animales de tierra. El sabroso tepezcuintle es difícil de conseguir, pero la dieta de la entidad sabe aprovechar –como en pocas regiones del país– los platillos que tienen por base liebres y conejos. Así lo prueban las buenas recetas de la liebre a la cazadora y el conejo relleno al horno, ambas de remembranza europea, y el conejo en adobo, muy mexicano, con sus chiles pasilla y chilaca, además de ajo y canela.

Plato fuerte, el carnero asado que después se propone –con jitomate y chile– añade un caudal de ingredientes, entre los que destacan las especias, las hierbas de olor, el tocino, los gordos del jamón y el vinagre. Frecuente en el territorio de la república, la barbacoa de carnero en mixiote es, asimismo, preparación de largo disfrute. Básicos resultan los chiles anchos y las hojas de aguacate en su confección.

Soberbios, y por tal famosos, los embutidos de la entidad son asunto de envidiable regodeo. Por citar algunos, valga recordar el chorizo verde de Santiago Tianguistenco o la longaniza de Tenango del Valle, los toluqueños chorizos... En fin, el recetario familiar despeja en tal aspecto algunas buenas fórmulas. Un magnífico chorizo –a base de carne de puerco, vinagre, cominos y otras especias, así como los chiles ancho y cascabel que le dan color y sabor– y una extraordinaria rellena –que agrega a la sangre del cerdo, cacahuates, arroz y verduras, además de especias y hierbas de olor.

Otra receta de arraigo local es el pepeto de puerco con chilacayote, elotes tiernos y habas verdes, hondamente sazonado por el epazote, el chile manzano y el jugo de limón. Nacionales, en cambio, pero con múltiples variantes regionales, el espinazo de cerdo en mole de olla y el manchamanteles se proponen en versión mexiquense. El primero va con chile ancho y el segundo, a más de verduras y frutas variadas, con chile mulato.

Bajo el nombre de tuxtepecano, que remite a la sureña Oaxaca, se incluye un platillo de fiesta con carnes de puerco, pollo y res, en salsa de tomates y jitomates, que suma manzanas, peras y plátano macho –junto a una generosa dosis de espeso pulque–, precisamente al modo del manchamanteles que tanto se aprecia en casi todo el país.

Se empieza a entrar, así, a los terrenos del ganado mayor. Las milanesas molidas mezclan la carne de res con la del cerdo; la fórmula –con un poco de avena, mostaza, perejil y tocino– resulta original y atractiva. Los riñones campiranos, acto continuo, son preparación que exige cuidado en la selección y limpieza de las vísceras, desflemadas en vinagre y cocidas con ajo, cebolla y cilantro.

Modestas, pero sabrosas, las tres recetas familiares con las que termina el apartado son siempre una solución oportuna. Se trata de un albondigón, de un salpicón en frío y de unos rollitos, todos de carne de res, prácticos, apetecibles, eficaces.

***Conejo, perdiz o pato, calientito venga el plato***

## Pichones con col

- 4 *pichones*
- 1 *col blanca*
- 200 g *pancita*
- 1 *taza de caldo*
- 1 *taza de vino blanco*
- 1 *taza de vinagre*
- 1 *taza de aceite*
- 1 *cucharadita de pimienta en grano*
- 1 *zanahoria*
- 1 *hoja de laurel*
- · *sal, al gusto*

- Cortar la col blanca en tiritas muy finas; espolvorearlas con sal fina y vinagre; dejarlas reposar durante dos horas.
- Cortar los pichones en dos y dorarlos en aceite; agregarles la pancita, cortada en tiritas; freír algunos minutos.
- Añadir la col, la zanahoria en rodajas, la pimienta, el laurel y el caldo. Tapar el recipiente y cocer, a fuego suave, durante veinte minutos.
- Añadir el vino blanco; cocinar hasta que los pichones estén suaves.
- Colocar los pichones en un platón; acomodar la col a su alrededor; cubrir con la salsa y servirlos bien calientes.
- Rinde 6 raciones.

## Higaditos y mollejas de pollo

- 3/4 k *higaditos y mollejas de pollo*
- 1/2 k *jitomate cocido*
- 200 g *tocino*
- 200 g *jamón*
- 2 *cucharadas de perejil picado*
- 1 *cucharada de aceite*
- 2 *dientes de ajo*
- 1/2 *cebolla*
- · *sal y pimienta, al gusto*

- Freír los hígados, las mollejas, el tocino y el jamón picados, en el aceite.
- Moler el jitomate cocido con la cebolla, perejil y ajos.
- Añadir la salsa a los higaditos y mollejas fritos y sal al gusto; cuando el guiso reseque, agregar dos tazas de agua.
- Tapar el recipiente y cocer a fuego suave, hasta que las mollejas estén suaves.
- Rinde 8 raciones.

## Cuñete de pollo

- 10 *piezas de pollo*
- 2 *tazas de vinagre*
- 2 *tazas de vino blanco*
- 1/2 *taza de aceite*
- 4 *dientes de ajo*
- 4 *pimientas enteras*
- 1 *cebolla en rodajas*
- 1 *ramito de hierbas de olor*
- · *sal y pimienta, al gusto*

- Espolvorear las piezas de pollo con sal y pimienta, freírlas en aceite, sin que doren; retirar.
- Acitronar la cebolla y los ajos enteros, en el mismo aceite; ya que estén transparentes, incorporar el pollo.
- Agregar una taza de vinagre, una taza de vino, hierbas de olor y las pimientas; tapar y hervir hasta que se consuma el líquido.
- Añadir, luego, el resto del vinagre y vino y, si es necesario, un poco de agua fría.
- Retirar del fuego cuando el pollo esté cocido; dejar enfriar, hasta que se forme una gelatina. Servir el platillo frío.
- Rinde 10 raciones.

# Estado de México

## Pollo al aguacate

| | | |
|---|---|---|
| 8 | *piezas de pollo* | Espolvorear las piezas limpias de pollo, con sal y pimienta. |
| 24 | *aceitunas* | Acomodar cada pieza en un cuadro de papel aluminio; sobre cada pieza de pollo, poner tres aceitunas, un trocito de mantequilla, rebanadas de zanahoria y una hoja de aguacate. |
| 16 | *papitas* | Envolver perfectamente cada pieza con sus verduras y colocar los paquetitos en una charola o molde. |
| 8 | *cuadritos de mantequilla* | Cocer en el horno –que estará caliente– aproximadamente una hora. |
| 8 | *cuadros de papel aluminio* | Servir cuando las verduras y las piezas de pollo estén cocidas. |
| 8 | *hojas de aguacate* | Rinde 8 raciones. |
| 4 | *zanahorias pequeñas, en rebanadas* | |
| · | *sal y pimienta, al gusto* | |

## Liebre a la cazadora

| | | |
|---|---|---|
| 1 | *liebre joven* | Freír la rebanada de pan; retirarla cuando esté dorada por ambos lados. Moler el pan con los ajos y el perejil. Freírlos junto con la cebolla, finamente picada, en el aceite en que se frió el pan. |
| 2 | *dientes de ajo* | Agregar la liebre, limpia y en trozos; añadir dos tazas de agua. |
| 1 | *cebolla* | Tapar el recipiente y dejar cocer a fuego lento; mover de vez en cuando para que el guiso no se pegue. |
| 1 | *rebanada de pan* | Retirar del fuego cuando la liebre esté cocida. |
| · | *aceite* | Rinde 6 raciones. |
| · | *perejil, al gusto* | |

## Conejo relleno al horno

| | | |
|---|---|---|
| 1 | *conejo limpio, abierto por la mitad* | Picar el conejo con un tenedor. |
| 1/4 k | *chícharos* | Moler los ajos, la cebolla, las hierbas de olor y sal con el vinagre. |
| 1/4 k | *chorizo* | Cubrir el conejo con este adobo; dejarlo reposar durante doce horas. |
| 1/4 k | *zanahoria* | Untarlo luego con mantequilla. |
| 200 g | *mantequilla* | Freír aparte el chorizo y el tocino, picados; revolverlos con las verduras cocidas previamente; rellenar el conejo con esta preparación. |
| 200 g | *tocino* | Coser el conejo con una aguja. |
| 1 | *litro de vinagre* | Meterlo en el horno, tapado con papel aluminio; bañarlo con frecuencia con el jugo y la grasa que suelte. |
| 1/4 | *litro de vino blanco* | A medio cocer, bañarlo con vino blanco; quitarle luego el papel aluminio para que dore. |
| 3 | *dientes de ajo* | Retirarlo del horno cuando esté cocido. Servirlo en su jugo. |
| 1 | *cebolla* | Rinde 8 raciones. |
| · | *hierbas de olor* | |
| · | *sal, al gusto* | |

## Conejo en adobo

| | |
|---|---|
| 1 | *conejo, cortado en piezas* |
| 100 g | *chiles chilaca* |
| 100 g | *chiles pasilla* |
| 1/2 | *taza de aceite* |
| 6 | *dientes de ajo* |
| 1 | *cebolla* |
| · | *canela* |
| · | *sal, al gusto* |

- Cocer el conejo durante veinte minutos en olla de presión; sacarlo del caldo y escurrir bien las piezas.
- Dorar las piezas en aceite.
- Desvenar los chiles y remojarlos en el caldo en que se coció el conejo. Molerlos con la canela, ajos y cebolla; freírlos en la misma grasa en que se doró el conejo.
- Dejarlos sazonar; agregarles luego el conejo y hervir por diez minutos más; la salsa debe quedar espesa. Sazonar con sal, al gusto.
- Rinde 8 raciones.

## Barbacoa en mixiotes

| | |
|---|---|
| 4 k | *carne de carnero (cortada en trozos de 100 g)* |
| 100 g | *almendras* |
| 1/2 | *litro de caldo* |
| 40 | *cuadros de hoja de mixiote, remojados y escurridos* |
| 40 | *hojas de aguacate* |
| 20 | *chiles anchos* |
| 10 | *dientes de ajo* |
| 3 | *cebollas* |
| 1 | *cucharadita de orégano* |
| · | *sal, al gusto* |

- Desvenar los chiles; tostarlos después ligeramente y ponerlos a remojar en el caldo, a que suavicen. Molerlos con los ajos, cebollas, almendras limpias, sal y orégano.
- Colocar una hoja de aguacate y una pieza de carnero, bien remojada en la salsa de chile, en cada cuadro de mixiote.
- Formar bolsitas, amarrando la punta con hilo.
- Cocer en vaporera.
- Rinde 20 raciones.

## Chorizos

| | |
|---|---|
| 1 1/2 k | *carne de puerco* |
| 1/2 k | *gordo de puerco* |
| 1/2 | *taza de vinagre de vino* |
| 1 | *cucharada de pimienta en polvo* |
| 1 | *cucharadita de cominos* |
| 12 | *chiles anchos* |
| 8 | *chiles cascabel* |
| 1 | *pizca de nuez moscada* |
| · | *sal, al gusto* |
| · | *tripa, la necesaria* |

- Picar la carne de puerco en pedacitos pequeños, al igual que el gordo; mezclar las dos carnes.
- Desvenar los chiles, asarlos y hervirlos en un poco de agua; escurrirlos y molerlos con el vinagre y las especias.
- Adobar la carne con la preparación, mezclando muy bien.
- Lavar las tripas perfectamente bien y rellenarlas luego con la carne.
- Amarrar con hilaza, de trecho en trecho, formando los chorizos; picarlos con agujas para que salgan las burbujas de aire.
- Dejar orear durante cuarenta y ocho horas.
- Rinde 12 raciones.

## *Carnero asado con jitomate y chile*

- 5 k *carnero*
- 100 g *jamón gordo*
- 100 g *tocino*
- 1 *litro de vinagre*
- 1 *taza de vino blanco*
- 1/2 *taza de aceite*
- 5 *jitomates rojos, maduros*
- 3 *chiles anchos*
- 3 *chiles poblanos*
- 1 *cabeza de ajo*
- 1 *cebolla grande*
- · *clavo, cominos, tomillo, mejorana, hojas de laurel, orégano, jugo de limón y sal*
- · *sebo de carnero*

- Cortar el carnero en raciones regulares; desangrarlo y untarlo con sebo; ponerlo en una cazuela honda y cubrirlo con agua y vinagre.
- Incorporar los chiles anchos y los chiles poblanos, limpios y desvenados; los jitomates partidos, los ajos limpios, el vino, clavo, cominos molidos, tomillo, mejorana, laurel, orégano y sal suficiente; dejar marinar durante veinticuatro horas.
- Agregarle rebanadas de jamón gordo y el tocino.
- Cocer a fuego regular hasta que se consuma el caldo.
- Untar la carne con el jugo de limón y el aceite, y dorar a fuego suave; voltear de cuando en cuando para que el asado dore parejo.
- Servir con rebanadas de cebolla desflemada.
- Rinde 12 raciones.

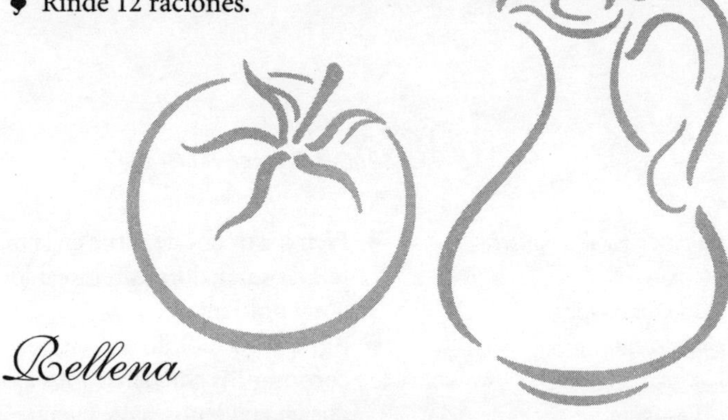

## *Rellena*

- 1 *menudo de cerdo (completo)*
- 1 k *tomate verde*
- 1/2 k *arroz*
- 1/2 k *cacahuates limpios*
- 1/2 k *chícharos limpios*
- 1/2 k *zanahoria picada*
- 1 1/2 *taza de cilantro picado*
- 2 *cebollas picadas*
- 1 *puño de orégano*
- · *la sangre del cerdo*
- · *chile serrano, hierbas de olor y sal, al gusto*
- · *gordos del cerdo*
- · *vinagre*

- Lavar perfectamente el menudo y dejarlo durante toda la noche en bastante vinagre, para quitarle el olor.
- Volver a lavar al día siguiente y rellenar las tripas gruesas con todos los ingredientes (que deben de estar bien mezclados); agregar los gordos del puerco. Amarrar las tripas por los extremos.
- Colocar un cazo en la lumbre con bastante agua, sal y hierbas de olor; cuando esté hirviendo, introducir las tripas rellenas durante media hora.
- Picarlas con un palillo antes de ponerlas a cocer para sacarles el aire y evitar que se vayan a reventar.
- Retirar cuando la preparación esté bien cocida; cortar en rebanadas y servir caliente.
- Rinde 20 raciones.

## Espinazo en mole de olla

- 2 k *espinazo de puerco, en trozos*
- 1/2 *cucharadita de cominos*
- 8 *chiles anchos*
- 4 *dientes de ajo*
- 3 *pimientas*
- 2 *hojas de laurel*
- 1 *cebolla*
- 1/2 *bolillo*
- · *aceite*
- · *orégano y sal, al gusto*

- Cocer el espinazo con la mitad de la cebolla, dos dientes de ajo, sal y hojas de laurel.
- Remojar los chiles anchos, previamente desvenados; dorar el bolillo en aceite y licuarlo con los chiles, el resto de la cebolla, ajos, pimientas y cominos.
- Vaciar en la olla donde se está cociendo el espinazo; agregar el orégano. Cocer a fuego lento, a que el guiso sazone y el caldillo se espese.
- Rinde 12 raciones.

## Manchamanteles

- 1 k *pulpa de carne de puerco*
- 1/2 k *jitomates*
- 1/2 k *chícharos cocidos*
- 1/4 k *ejotes cocidos*
- 1/4 k *manteca*
- 100 g *chile mulato*
- 1/4 *taza de vinagre*
- 2 *clavos*
- 2 *rebanadas de piña*
- 1 *camote dulce, confitado*
- 1 *pizca de azúcar*
- · *sal y pimienta, al gusto*

- Freír los trozos de carne en la manteca caliente; dorarlos perfectamente. Desvenar, dorar y remojar los chiles; molerlos con los jitomates, clavos y pimientas.
- Agregar lo molido a la carne y freír bien; añadir agua suficiente, incorporar los chícharos y los ejotes cocidos, el camote y la piña partidos en cuadritos, sal y vinagre al gusto; agregar la pizca de azúcar.
- Dejar a fuego suave durante diez minutos. Retirar y servir.
- Rinde 6 raciones.

## Riñones campiranos

- 4 *riñones de res*
- 4 *cebollas medianas, con todo y rabo*
- 4 *dientes de ajo, picados*
- 1 *taza de vinagre*
- 1 *manojo grande de cilantro*
- · *sal y pimienta, al gusto*

- Quitar a los riñones toda la grasa que tienen en el centro; rebanarlos; ponerlos a desflemar con la taza de vinagre en un recipiente que contenga agua.
- Dejarlos reposar media hora; escurrirlos y freírlos en aceite, hasta que no se vean rojizos.
- Añadir las cebollas rebanadas, con todo y rabo; los dientes de ajo, el cilantro picado, sal y pimienta; agregar unas cucharadas de agua.
- Dejarlos quince minutos a fuego suave, a que hiervan lentamente.
- Rinde 8 raciones.

## Tuxtepecano

| | |
|---|---|
| 1/2 k | *jitomates* |
| 1/2 k | *tomates verdes* |
| 1/4 k | *carne de puerco, en trocitos* |
| 1/4 k | *carne de res, en trocitos* |
| 1/4 | *litro de pulque* |
| 8 | *piezas de pollo* |
| 3 | *manzanas* |
| 3 | *peras* |
| 2 | *dientes de ajo* |
| 1 | *plátano macho (con cáscara)* |
| · | *aceite* |
| · | *cebolla picada* |
| · | *chile verde* |
| · | *sal y pimienta, al gusto* |

- Cocer la carne de puerco y la de res; freírlas después con el pollo crudo, a que doren.
- Moler jitomates y tomates asados con los chiles. Incorporar esta salsa a la carne.
- Agregar manzanas y peras picadas (con cáscara), y el plátano macho rebanado, también con cáscara.
- Añadir el pulque, la pimienta, cebolla, ajos y sal al gusto; cocer a fuego suave.
- Retirar del fuego cuando la carne esté cocida; la preparación debe quedar caldosa.
- Rinde 8 raciones.

## Pepeto

| | |
|---|---|
| 1 k | *carne de cerdo* |
| 1 k | *chilacayote* |
| 1 k | *habas verdes* |
| 4 | *elotes tiernos* |
| 1 | *cebolla* |
| 1 | *rama de epazote* |
| · | *chile manzano, limones y pan de sal, al gusto* |

- Cocer la carne en suficiente agua; cuando ésta se consuma, agregar los chilacayotes picados, los elotes rebanados y las habas limpias.
- Dejar cocer durante quince minutos; agregar el epazote, las cebollas rebanadas, el chile manzano y sal al gusto.
- Dejar que la preparación espese.
- Servir el pepeto con limón, al gusto; se acompaña con pan de sal.
- Rinde 8 raciones.

## Milanesas molidas

| | |
|---|---|
| 1/2 k | *carne de puerco, molida* |
| 1/2 k | *carne de res, molida* |
| 4 | *cucharadas de cebolla picada* |
| 4 | *cucharadas de tocino picado* |
| 3 | *cucharadas de avena* |
| 3 | *cucharadas de perejil picado* |
| 2 | *cucharadas de mostaza* |
| 2 | *huevos* |
| · | *aceite* |
| · | *pan molido* |
| · | *sal y pimienta, al gusto* |

- Mezclar todos los ingredientes, menos los huevos y el pan molido.
- Con la mezcla, moldear bolas de tamaño regular; colocarlas en papel encerado y engrasado y aplanarlas para que queden como bisteces delgados.
- Pasar las milanesas por los huevos batidos; empanizarlas y freírlas en aceite caliente, hasta que doren por ambos lados.
- Retirarlas y ponerlas sobre papel de estraza, a fin de que escurra el exceso de grasa. Servirlas con ensalada de lechuga.
- Rinde 8 raciones.

## Albondigón

- *1 k* *carne de res, molida*
- *1* *taza de puré de jitomate*
- *1* *cucharada de mostaza*
- *1* *cucharada de vinagre*
- *1* *cucharadita de azúcar*
- *3* *rebanadas de pan*
- *1* *cebolla picada*
- *1* *huevo*
- *1* *rama de apio, picada*
- *1* *zanahoria rallada*
- · *aceite*
- · *sal y pimienta, al gusto*

- Freír la cebolla con el apio; agregar el pan desmoronado y la zanahoria rallada; retirar del fuego.
- Mezclar la carne molida con los ingredientes fritos; añadir el huevo y media taza de puré de jitomate, sal y pimienta al gusto.
- Enrollar la carne como si fuera una barra de pan; colocarla en un recipiente refractario.
- Mezclar el vinagre con el azúcar, la mostaza y el resto del puré de jitomate; vaciar sobre el albondigón.
- Hornear durante hora y media, a fuego suave.
- Rinde 8 raciones.

## Salpicón

- *1 k* *carne para deshebrar*
- *1/4 k* *queso fresco, rebanado*
- *2* *cucharadas de aceite*
- *2* *cucharadas de vinagre*
- *1* *cucharada de cebolla picada*
- *1* *cucharadita de orégano*
- *2* *aguacates*
- *1* *cebolla entera*
- *1* *diente de ajo*
- *1* *jitomate rebanado*
- *1/2* *cebolla, rebanada y desflemada*
- · *sal y pimienta, al gusto*

- Cocer la carne con cebolla, ajo y sal; retirarla del caldo y deshebrarla finamente.
- Sazonar la carne deshebrada con sal, aceite, vinagre, orégano y cebolla picada; revolver muy bien.
- Vaciar en un platón; se adorna con el queso y rebanadas de cebolla, jitomate y aguacate.
- Rinde 6 raciones.

## Rollitos de carne

- *6* *bisteces delgados*
- *6* *tiras de tocino*
- *3* *plátanos machos*
- *3* *dientes de ajo*
- *2* *jitomates*
- *1* *cebolla*
- · *hierbas de olor y sal, al gusto*
- · *manteca*

- Extender los bisteces y ponerles, en el centro, una tirita de plátano macho y una tirita de tocino; enrollarlos y prender cada uno con un palillo para que no se suelten.
- Freír los rollitos en la manteca.
- Retirar de la manteca.
- En el mismo recipiente, freír los jitomates, la cebolla y los ajos molidos; añadir hierbas de olor, al gusto.
- Colocar otra vez los rollitos; cuando el guisado hierva, sazonar con sal al gusto y dejar hervir hasta que queden suaves.
- Rinde 6 raciones.

# *Dulces y Postres*

DULCES Y POSTRES

Preside esta atractiva sección de la cocina familiar, el sustento del noble maíz en media docena de golosinas y verdaderos antojos dulces.

Se incluye, así, desde el humilde y despacioso pinole indígena –con su saborcito de naranja, canela y un punto de chocolate– hasta las arepitas, que son unas galletas horneadas de harina de maíz, azúcar y canela, sin olvidar las croquetas fritas de elote, servidas con jocoque, crema o requesón; los burritos de maíz con piloncillo; el dulce de elote con leche y vainilla, y una prometedora torta de elote al horno.

Prosiguen unas rosquitas coquetas que primero se tuestan y después se polvean; son de harina de trigo, manteca y azúcar, aunque, a fin de estar a tono, llevan por dentro un cremoso vaso de pulque.

Las paciencias de limón logran, tal como dice el apelativo, encontrar su recompensa: paladearlas. Se necesita esperar un rato, tras batir las claras a punto de turrón e incorporarles la raspadura del cítrico, azúcar y harina; luego hornearlas y aguardar un momento más.

Garibaldi –no el patriota de la bella Italia, sino el postre cuyo nombre lo recuerda– es un dulce de portento. Preparado en casa se vuelve un éxito con su mermelada de chabacano y azúcar glass espolvoreado o, si se prefiere, recubiertos con chochitos de colores que le dan cierto aire festivo, casi libertario.

Rica, larguísima resultaría la lista de las golosinas que ofrece el estado –¿quién que las conozca podría olvidar sus jamoncillos, sus turrones, sus frutas cristalizadas, los cabellos de ángel, en fin, sus muchos almíbares?– y esta selección de recetas prueba bien tantas excelencias. La siguiente fórmula, por ejemplo, es ligera y fina, se trata de una gelatina de mango y piña, en verdad atractiva. O el dulce de zanahorias que se asoma de inmediato y el cual, con jugo y raspadura de naranjas, y adornado con pasitas, suele recibir el aplauso general.

De altísima calidad –luces de candil y rumor de crinolinas– llega una etérea crema de azahar de gusto delicadísimo y, también para gustos refinados, la Carlota de avellanas o el flan de estos mismos frutos. Sigue un flan de queso que es cuestión –con perdón de los manteles largos– de pasar la lengua varias veces por los labios y chupetear los últimos trocitos de caramelo.

Las torrejas de origen ibérico se ofrecen en versión mexiquense, sencillas y apetitosas, con piloncillo para endulzarlas; las frituras de dulce, a su vez, con su nostálgico sabor a vainilla y el azúcar glass abundante, son un "clásico" de la confitería.

La sección finaliza de manera harto grata, tal como empezó. Va el turno de unos cordialísimos dulces de leche y coco y de un crocante de cacahuate, de ésos que no se sabe terminar; aptos para prolongar la dulce pausa, un poco más.

*En Toluca... "nos divertíamos por los paseos y tomábamos por asalto las alacenas de los portales. Hartazgos de naranjas cristalizadas o rellenas, limones azucarados, duraznos, tunas y biznagas en dulce y conservas de membrillo y de manzana, melados de caña, jamoncillos o confites, grageas de azúcar de color, almendras garapiñadas, todo en profusión y baratura que provocaba entusiasmo".*

*Ulises Criollo*
José Vasconcelos

## Torrejas

- 1/2 k *piloncillo*
- 1 *taza de harina de trigo*
- 6 *bolillos duros, en rebanadas delgadas*
- 5 *huevos*
- 1 *queso fresco*
- 1 *rajita de canela*
- · *mantequilla*

- Tomar dos rebanaditas de pan y colocarles en medio una rebanadita de queso; se hace igual con todo el pan.
- Pasar los emparedados por harina y luego por huevo batido; freírlos en mantequilla, por ambos lados, a fuego suave.
- Hervir el piloncillo con canela y dos tazas de agua, hasta formar un jarabe espeso.
- Añadir las torrejas al almíbar y dejarlas hervir, de cinco a diez minutos, a fuego suave. Servir luego.
- Rinde 8 raciones.

## Elotes en croquetas

- 3 *tazas de elote desgranado*
- 1/2 *taza de azúcar mascabado*
- 1 *cucharada de polvo para hornear*
- 2 *huevos*
- · *aceite*

- Moler el elote y agregarle el azúcar, polvo para hornear, un poco de leche (si el elote está duro) y los dos huevos batidos, para formar una pasta.
- Tomar porciones de la pasta con una cuchara y freírlas en aceite caliente, hasta que doren.
- Servir con jocoque, crema o requesón.
- Rinde 8 raciones.

## Burritos de maíz

- 1 k *piloncillo*
- 1/2 k *maíz cacahuazintle*
- 3/4 *taza de agua*
- 1 *raja de canela*

- Dorar el maíz hasta que tenga un color canela, parejo.
- Dejarlo enfriar y moler finamente la mitad del maíz dorado con la raja de canela.
- Hervir el agua con piloncillo hasta tener una miel ligeramente espesa; agregarle el maíz entero, ya dorado, y el maíz molido con la canela. Revolver perfectamente.
- Colocar cucharaditas de esta preparación, dándoles forma de volcancitos, en una lámina engrasada; dejarlos enfriar.
- Rinde 15 raciones.

## Dulce de elote

| | |
|---|---|
| 3 | *tazas de elote molido* |
| 1 | *taza de azúcar* |
| 1 | *taza de leche* |
| 1 | *cucharadita de vainilla* |

- Colar el elote molido; ponerlo al fuego con la vainilla, moverlo constantemente.
- Agregar, cuando espese, la leche y el azúcar; seguir moviendo en una sola dirección, para evitar que la preparación se corte.
- Retirar del fuego cuando se le vé el fondo al cazo.
- Vaciar en una dulcera y servir el postre a la temperatura ambiente.
- Rinde 8 raciones.

## Torta de elote

| | |
|---|---|
| 1 1/2 | *litros de leche* |
| 300 g | *azúcar* |
| 150 g | *mantequilla* |
| 8 | *elotes tiernos* |
| 8 | *huevos* |
| 1 | *cucharadita de canela en polvo* |

- Desgranar los elotes y molerlos con la leche; colar.
- Endulzar la mezcla con el azúcar; añadirle la mantequilla y ponerla al fuego, moviendo constantemente hasta que espese.
- Retirar del fuego y agregar los huevos, uno a uno, sin dejar de batir para incorporarlos bien; agregar la canela.
- Vaciar la preparación en un refractario untado con mantequilla.
- Hornear a 200ºC, hasta que al introducir un palillo, éste salga limpio.
- Rinde 8 raciones.

## Arepitas

| | |
|---|---|
| 1 k | *harina de maíz cacahuazintle* |
| 400 g | *azúcar granulada* |
| 400 g | *manteca de cerdo* |
| 4 | *huevos* |
| 2 | *cucharadas de canela molida* |
| 1/2 | *cucharadita de bicarbonato* |

- Formar una fuente con la harina; colocar todos los ingredientes en el centro; revolver bien y amasar, hasta formar una pasta suave.
- Extender la masa con el rodillo a fin de que quede de un centímetro de grosor.
- Cortar con un molde o cortador redondo; cocer en horno caliente.
- Retirar cuando las galletas estén doraditas; dejarlas enfriar.
- Rinde 12 raciones.

## Rosquitas tostadas y polveadas

| | |
|---|---|
| 1 k | *harina* |
| 1/2 k | *azúcar pulverizada* |
| 1/4 k | *azúcar granulada* |
| 350 g | *manteca de cerdo* |
| 1 | *vaso de pulque* |
| · | *canela molida* |

- Cernir la harina y formar una fuente; en el centro, agregar el vaso de pulque, la manteca y azúcar granulada.
- Batir con la mano a que quede una masa suave.
- Hacer una tira con la masa, redondearla e ir formando las roscas; aplanarlas sobre azúcar granulada. Colocarlas sobre charolas engrasadas.
- Hornearlas por espacio de media hora; cuando estén a medio dorar, sacarlas del horno y espolvorearlas con azúcar pulverizada y canela.
- Rinde 12 raciones.

## Paciencias de limón

| | |
|---|---|
| 4 | *claras de huevo* |
| 1 | *taza de harina* |
| 3/4 | *taza de azúcar* |
| 1 | *limón (la raspadura)* |

- Batir las claras a punto de turrón, agregar el azúcar y seguir batiendo; incorporar la raspadura de limón y, por último, la harina.
- Colocar la pasta en una duya y forrar con papel estraza engrasado las charolas de horno.
- Sobre el papel se expele la mezcla, pasada por la duya, en forma de gotas del mismo tamaño.
- Se dejan en un lugar tibio durante media hora; se hornean a temperatura regular.
- Retirar cuando estén cocidas, sin dejarlas dorar mucho.
- Rinde 6 raciones.

## Garibaldi

| | |
|---|---|
| 300 g | *harina* |
| 250 g | *mantequilla* |
| 200 g | *azúcar* |
| 7 | *huevos* |
| 2 | *cucharaditas de polvo para hornear* |
| 1 | *limón (la raspadura)* |
| · | *mermelada de chabacano* |
| · | *azúcar glass* |

- Batir la mantequilla con el azúcar, hasta acremar; incorporar las yemas, de una en una, batiendo siempre.
- Agregar la harina cernida con el polvo para hornear, la raspadura del limón y, por último, las claras batidas a punto de turrón.
- Revolver y colocar la mezcla en un molde redondo, engrasado y enharinado; hornearla de veinticinco a treinta minutos, a 200ºC.
- Desmoldar sobre un platón, cuando el Garibaldi esté frío.
- Untarle mermelada por encima y espolvorearlo con azúcar glass.
- Rinde 6 raciones.

# *Gelatina de mango y piña*

| | |
|---|---|
| 1 1/2 | *tazas de mango, en trocitos* |
| 1 | *taza de agua* |
| 1 | *taza de jugo de piña* |
| 1 | *taza de leche evaporada* |
| 1 | *lata de leche condensada* |
| 1 | *caja grande de gelatina, sabor piña* |

- Calentar el jugo de piña y el agua; agregar la gelatina, a que se disuelva. Refrigerar hasta que la preparación empiece a cuajar.
- Añadir las leches (condensada y evaporada) y batir la mezcla hasta que esponje. Agregar el mango picado.
- Vaciar la mezcla en un molde de gelatina. Refrigerar y desmoldar.
- Rinde 8 raciones.

# *Dulce de zanahoria*

| | |
|---|---|
| 3 | *tazas de azúcar* |
| 2 | *tazas de pasitas* |
| 2 | *tazas de zanahoria rallada* |
| 1/2 | *taza de agua* |
| 2 | *naranjas (la raspadura)* |
| 1 | *naranja (el jugo)* |

- Hervir el azúcar con media taza de agua; cuando esté a punto de caramelo suave, añadirle la zanahoria, la raspadura y jugo de naranja, así como una taza se pasas.
- Dejar en el fuego hasta que la zanahoria esté cocida y el dulce espeso.
- Vaciar en un platón extendido. Dejarlo enfriar y servirlo. Se adorna con pasitas.
- Rinde 8 raciones.

# *Crema de azahar*

| | |
|---|---|
| 1 | *litro de crema* |
| 250 g | *azúcar* |
| 6 | *yemas de huevo* |
| 2 | *ramitos frescos de azahares* |
| 1 | *cucharada de agua de azahar* |

- Mezclar la crema con el azúcar.
- Agregar las yemas de huevo y el agua de azahar; batir y revolver bien.
- Poner al fuego, a baño María; cuando espese, vaciar en la dulcera.
- Adornar con los ramitos de azahar.
- Rinde 10 raciones.

# *Pinole*

| | |
|---|---|
| 1/2 k | *maíz cacahuazintle* |
| 200 g | *azúcar* |
| 4 | *cucharadas de chocolate en polvo* |
| 1 | *cáscara seca de naranja* |
| 1 | *raja de canela* |

- Dorar el maíz hasta que tenga color canela; dejarlo enfriar.
- Molerlo con la canela, el azúcar y la cáscara de naranja.
- Revolver bien y agregar, finalmente, cocoa o chocolate en polvo.
- Rinde 8 raciones.

## Carlota de avellanas

*1/2 k mantequilla*
*250 g avellanas limpias, tostadas y molidas*
*250 g azúcar*
*1/2 taza de coñac*
*4 docenas de soletas*
*3 yemas de huevo*
*1 cucharadita de extracto de vainilla*

- Batir la mantequilla con el azúcar y las yemas, hasta acremar.
- Añadir las avellanas, el coñac y la vainilla; batir hasta integrar bien.
- Cubrir un molde con papel aluminio, procurando que los bordes sobresalgan del molde.
- Acomodar las soletas, tapando el fondo y las paredes del molde. Llenar luego, alternando soletas y crema de avellanas.
- Refrigerar durante tres horas.
- Desmoldar con cuidado y retirar el papel aluminio.
- Rinde 12 raciones.

## Flan de avellanas

*2 litros de leche*
*500 g azúcar*
*250 g avellanas*
*8 huevos*

- Moler las avellanas, limpias y ligeramente tostadas.
- Hervir la leche con el azúcar; cuando se haya consumido un poco, revolverle las avellanas molidas y los huevos ligeramente batidos.
- Vaciar la mezcla en un molde previamente acaramelado, y hacerla cuajar, a baño María, en el horno.
- Desmoldar el flan cuando haya enfriado.
- Rinde 6 raciones.

## Flan de queso

*1/4 k queso doble crema*
*1 lata de leche condensada*
*1 taza de azúcar para el molde*
*8 huevos*
*2 cucharadas de vainilla*
*· papel aluminio*

- Licuar el queso, la leche condensada, los huevos y la vainilla; mezclar bien. Poner el azúcar al fuego en un molde, moviendo constantemente hasta obtener un caramelo claro.
- Incorporar los ingredientes al molde y cubrirlos con papel aluminio.
- Cocer en olla de presión, sobre una parrilla y con un cuarto de litro de agua, durante treinta minutos.
- Dejar enfriar la olla y retirar el molde con el flan.
- El flan debe estar completamente frío antes de desmoldarlo.
- Rinde 8 raciones.

## Frituras de dulce

| | |
|---|---|
| 1 | *taza de agua* |
| 1 | *taza de harina* |
| 1/2 | *taza de azúcar* |
| 1/2 | *cucharada de extracto de vainilla* |
| 1/4 | *cucharadita de sal* |
| 3 | *huevos* |
| 2 | *claras* |
| 1/2 | *barrita de mantequilla* |
| · | *aceite* |
| · | *azúcar glass* |

- Poner la mantequilla, agua, sal y azúcar al fuego; cuando suelte el hervor, retirar y añadir la harina.
- Volver a poner al fuego y batir vigorosamente hasta que se forme una bola al centro; apagar el fuego.
- Agregar a esa masa los huevos, uno a uno; batir siempre.
- Añadir las claras batidas a punto de turrón y seguir batiendo hasta que la masa esté suave y esponjosa; incorporar la vainilla.
- Tomar cucharadas de la masa y freírlas en aceite caliente durante cinco minutos, por los dos lados.
- Retirar las frituras y ponerlas sobre papel absorbente; espolvorearlas con azúcar glass.
- Rinde 8 raciones.

## Dulces de leche y coco

| | |
|---|---|
| 3/4 k | *azúcar granulada* |
| 3 | *litros de leche* |
| 1 | *coco rallado* |
| 1 | *raja de canela* |

- Hervir la leche con la raja de canela y el azúcar, moviendo constantemente. Cuando la preparación empiece a espesar, sacar la canela; retirarla del fuego cuando se le vea el fondo al cazo.
- Añadir el coco rallado y mezclarlo muy bien.
- Cortar un pliego de papel encerado en cuadros de diez centímetros; sobre cada uno de ellos, vaciar una cucharada de la mezcla.
- Quitar el papel encerado cuando los dulces se hayan enfriado.
- Rinde 15 raciones.

## Crocante de cacahuate

| | |
|---|---|
| 5 | *tazas de azúcar* |
| 3 | *tazas de cacahuates limpios* |
| 1/2 | *taza de agua* |
| 1 | *limón (el jugo)* |
| · | *aceite* |

- Hervir el azúcar con el agua hasta que esté a punto de caramelo.
- Añadir el jugo de limón y el cacahuate picado, revolver bien y retirar de la lumbre.
- Vaciar sobre una tabla o mármol engrasado; extenderla con un palote también engrasado y cortarla en cuadritos antes de que la garapiña enfríe.
- Rinde 10 raciones.

## AUTORES DE ESTAS RECETAS

*María Luisa Graciela González Rojas*
*Gloria E. Hinojosa de Hernández*
*Lorenia Morales de Escárcega*
*Esperanza Cabrera de Blancas*
*Josefina Gutiérrez de Vázquez*
*María del Carmen Rosellón de Camacho*
*Dolores Aguilar Vda. de Padilla*
*Patricia Amaro Medrano*
*Gudelia P. Cárdenas Cruz*
*Ofelia Cabrera*
*Dora Elena Chávez Moctezuma*
*Nidia Mireya Ferro Rincón*
*Elena Gómez Gutiérrez*
*Reyna María García de Viniegra*
*María Isabel Gil Velazco*
*María de los Ángeles Llamas R.*
*Nancy O. Luna Morales*
*Gabriela Macedo*
*Luz Macedo*
*Familia Maldonado*
*Alicia Ochoa de Pruneda*
*Jovita Padilla Aguilar*
*Consuelo Reséndiz*
*Belia Rivera de Arcos*
*Josefina Rodríguez de Rentería*
*Concepción Rojas de González*
*María del Carmen Rojas E.*
*Celia Ruiz*
*Ester Sánchez Rojas*
*Estela Santiago López*
*Esmeralda Tapia Millán*
*Gertrudis Valverde Vda. de Romero*
*Carmen Zamora de Hurtado*
*Estefanía Zamora Salazar*

## Festividades

| Lugar y fecha | Celebración | Platillos regionales |
|---|---|---|
| **TOLUCA**<br>(Capital del Estado)<br>*Septiembre 24* | **Virgen de la Merced**<br>Feria, música, juegos pirotécnicos; danzas de Moros y Cristianos y de Santiagueros. | ~ Verdolagas con carne de puerco, ensalada de hongos, sopa de fideos, tostadas, enchiladas, quesadillas, chicharrón relleno, longaniza verde y roja, quelites cocidos y acompañados con salsa roja molcajeteada, peneques, tlacoyos, gorditas, tamales, chiles rellenos, mole de olla, menudo, barbacoa.<br>~ Marquesote, polvorones de cacahuate, palanqueta, alegría, cocada, tamales dulces, jericalla, buñuelos, arroz de leche, melcocha de melaza, natillas, dulces de piñón y pepita.<br>~ Licores de frutas, atoles, chocolate, champurrado, pulque natural o curados de frutas, aguas frescas, café de olla, moscos (bebida con frutas maceradas en alcohol), mezcal. |
| *Fecha movible* | **Corpus Christi**<br>Procesiones, música, juegos pirotécnicos, feria; paseo de yuntas. | ~ Caldo tlalpeño, birria, tamales, tacos, sopes, enchiladas, sopa de elote, arroz a la mexicana, frijoles refritos, huevos con chorizo, tortas de flor de calabaza, chalupas, gorditas, puchero, habas tostaditas, rellena, peneques, consomé de barbacoa, mixiotes, cecina de puerco, longaniza en salsa verde.<br>~ Compotas, ates, budines, alegrías, cocadas, huevos reales, palanquetas, panelas, miel de tuna, natillas, amerengados, panqués, cubiletes, pudín de arroz, tamales dulces.<br>~ Mezcal, pulque; atoles (de leche, blanco o de frutas); chocolate de leche, moscos, champurrado, aguas frescas, café endulzado con piloncillo, chumiates (con capulín e infusión de alcohol). |
| **AMECAMECA**<br>*Fecha movible*<br>*(Depende de la Cuaresma)* | **Miércoles de Ceniza**<br>Se celebra esta fiesta con una solemme procesión. Los devotos sacan la efigie del Señor del Sacromonte de su cueva y la llevan en hombros durante toda la noche para depositarla en la parroquia antes del amanecer. Los peregrinos empiezan su marcha desde la noche del 7 de febrero; recorren un sendero que se encuentra en la montaña y, a su paso, colocan flores en las ramas de los ahuehuetes. La capilla a la que llegan está adornada con mosaicos de flores, maíz y cenizas, y en el atrio se ejecutan danzas tradicionales. Mientras, en el pueblo, Los Chinelos bailan acompañados de otros grupos. También se organiza una feria popular. | ~ Timbal de pollo, puchero, enchiladas verdes, conejo en barbacoa, arroz a la mexicana, chiles rellenos, rellena, pipián, adobo, chuletas de cerdo, pambazos compuestos, chalupas, gorditas, chicharrón entomatado, sopes con frijoles, hongos, romeritos, chile verde con carne de puerco, pancita de carnero, rellena.<br>~ Calabaza en dulce, palanqueta, alegrías, ates, compota, natillas, marquesote, jericalla, tamales dulces, panqué de pulque, cocada, melcocha de melaza, dulce de piñón y pepita, cubiletes, polvorones de cacahuate.<br>~ Moscos, pulque, mezcal, aguas frescas, chumiate, chocolate en leche, café de olla, atoles, champurrado, licores de frutas. |

CALIMAYA
*Agosto 15*

**Asunción de la Virgen María**
Serie de danzas en las que participan tanto grupos especializados como conjuntos de aficionados.

Birria, barbacoa en mixiote, cebollas rellenas, gorditas, huauzontles, enchiladas pulqueras, hongos con mole, guajolote enchilado; habas con calabacitas, chile verde y carne de puerco; lengua enjitomatada, ensalada de nopales, carnitas y chicharrón, enchiladas de chile colorado, menudo, mole de olla, tacos de tripa, gallina en barbacoa.
Natillas, ates, palanquetas, alegrías, compotas, amerengados, dulces de pepita y piñón, arroz de leche, panqué de pulque, cubiletes, marquesote.
Chocolate, moscos, aguas frescas, pulque, mezcal, atoles, café endulzado con piloncillo, mezcal, pulque curado o natural.

---

CAPULHUAC
*Mayo 15*

**San Isidro Labrador**
Festividad campesina, ya que se trata de una comunidad básicamente rural. Se organiza un desfile en el que participan no sólo los agricultores sino también sus yuntas con adornados animales; marchan al son de melodías interpretadas por diversas bandas musicales.

Enchiladas verdes, rellena, indios vestidos, tapado de habas verdes, conejo en barbacoa, nopalitos con chorizo, peneques, quesadillas, tacos, tostadas, tlacoyos, gorditas, sopes, arroz a la mexicana, pollo en tomate, verdolagas con carne de puerco, sopa de fideos, tamales, birria, longaniza, cecina de puerco, pozole, menudo, caldo tlalpeño, carnitas y chicharrón.
Miel de tuna, panela, cocada, alegrías, palanquetas, ates, marquesote, natillas, dulces de piñón y pepita, jericalla, tamales dulces, amerengados.
Atoles, champurrado, chocolate en leche; aguas frescas, café de olla, moscos, pulque, mezcal, licores de frutas.

---

COCOTITLÁN
*Diciembre 12*

**Nuestra Señora de Guadalupe**
Durante varios días llegan peregrinaciones de fieles para rendirle homenaje. Se ejecutan danzas tradicionales y se organiza una feria popular, después de las ceremonias religiosas.

Huilotas en vino o pulque, chicharrón en salsa verde o roja, chiles rellenos, frijoles tenochcas, ensalada de hongos, habas tostaditas, queso de cerdo, rellena, chicharrón y carnitas, tortillas azules, enchiladas verdes, longaniza, hongos, arroz a la mexicana, tamales, gallina en barbacoa, mole, verdolagas con carne de puerco, cecina, puchero, birria, esquites, pambazos compuestos, pozole, menudo,
Panqué de pulque, alegrías, natillas, palanquetas, ates, compotas, panela, miel de tuna, dulces de pepita y piñón, arroz de leche, budín, cocada, amerengados, pudín de arroz, buñuelos.
Licores de frutas, chocolate, atoles, champurrado, mezcal, pulque natural o curado, moscos.

---

CHALCO
*Julio 25*

**Santiago Apóstol**
Las festividades concluyen el domingo siguiente al día 25. Destacan las danzas de Los Franceses, de Moros y Cristianos y el baile de Los Vítores.

Caldo sudador (carne de res maciza en trozos, agua, sal, cebolla, chiles cuaresmeños y huesos de tuétano), jumiles asados, escamoles, conejo frito o en adobo, hongos con mole, consomé de barbacoa, mixiotes, chuletas de cerdo, quesadillas, tostadas, sopes, gorditas, tortillas azules, chalupas, tortas de flor de calabaza, tamales, frijoles refritos, tapado de habas verdes, puchero, sopa de fideos, arroz a la mexicana, mole.
Marquesote, polvorones de cacahuate, dulces de piñón y pepita, alegrías, palanquetas, cocada, natillas, cubilete, melcocha de melaza, tamales dulces.
Aguas frescas; atoles (de leche, blanco o de frutas); chocolate en leche, licores de frutas, moscos, pulque, mezcal, champurrado, café endulzado con piloncillo.

**CHALMA**
*Fecha movible*
*(Primer viernes de Cuaresma)*

**Cuaresma**
Para conmemorar esta fecha se llevan a cabo una serie de actos (mezcla de ritos paganos y católicos), como el dedicado a Oztoteótl, antiguo dios de los mazahuas. La imagen más importante es la del Cristo Negro, la cual se dice que concede muchos milagros. Después de haber recorrido varios kilómetros, los peregrinos se detienen en El Ahuehuete; ahí se coronan con guirnaldas de flores y bailan danzas rituales. También se bañan en las frías aguas del río que cruza Chalma.

~ Quelites cocidos y acompañados con salsa roja molcajeteada; nopalitos rellenos o navegantes en salsa de jitomate, con camarones secos y papa fina cortada en trozos; chiles rellenos, charales, quesadillas, peneques, tlacoyos, gorditas, sopes, cebollas rellenas, tortas de flor de calabaza, trucha ahumada o empapelada, frijoles refritos, romeritos en mole, tortillas azules, ensalada de nopales o nopalitos con mole; sopas de fideo, elote o calabaza; tortas de camarón en revoltijo, cuitlacoche con rajas, crema y queso.
~ Pudín de arroz, panela, natillas, buñuelos, jericalla, panqué de pulque, marquesotes, cocadas, alegrías, palanquetas, ates, compotas, amerengados, dulces de piñón y pepita.
~ Café de olla, moscos, atoles, mezcal, champurrado, pulque, aguas frescas, chocolate en leche, chumiate, licores de frutas.

---

**CHINCONCUAC**
*Septiembre 29*

**San Miguel Arcángel**
En el atrio de la iglesia se llevan a cabo variadas danzas en su honor, entre las que destacan el baile de Los Santiagos, de los Moros y el de Los Vaqueros. Los danzantes y asistentes portan vestimentas nativas y regionales.

~ Mole de olla, menudo, nopalitos rellenos, lechoncito adobado, arroz a la mexicana, chicharrón en salsa verde o roja, chalupas, conejo en barbacoa, mole verde, chile verde con carne de puerco, huauzontles, esquites, birria, tamales, chipotles en escabeche, tapado de habas verdes, rellena, huevos con chorizo, ensalada de hongos, pancita de carnero, yije (huevera de hormiga capeada en huevo con chile colorado), carnitas y chicharrón.
~ Dulces de piñón y pepita, alegrías, palanquetas, cocadas, dulces de leche, natillas, ates, compotas, melcocha de melaza, tamales dulces, miel de tuna, arroz con leche.
~ Pulque natural o curado, moscos, chocolate, atoles, champurrado, aguas frescas, café endulzado con piloncillo, licor de frutas.

---

**MALINALCO**
*Fecha movible*
*(Depende de la Cuaresma)*

**Semana Santa**
Enclavado en la cima de una montaña, en medio de bosques y de rocas gigantescas, Malinalco es escenario perfecto para la escenificación de la Pasión de Cristo, en la que participan soldados romanos que van a pie o montados a caballo. Muchas escenas se representan con imágenes sagradas; en otras toman parte habitantes de la localidad, inclusive los niños que desempeñan el papel de ángeles.

~ Nopalitos con chipotle, ensalada de hongos, charales, chiles rellenos, sopas de fideo, elote o calabaza; hongos con mole, cuitlacoche con rajas, crema y queso; cebollas rellenas, trucha ahumada o empapelada, tortas de pescaditos blancos de río, tortillas azules, nopales navegantes en mole, rellenos; arroz a la mexicana, quesadillas, sopes, chilaquiles, habas, tostaditas, escamoles, quelites cocidos, tortas de flor de calabaza, tortas de camarón en revoltijo.
~ Ates, compotas, cubiletes, marquesote, natillas, amerengados, cocadas, palanquetas, melcocha de melaza, calabaza en dulce, jericalla, arroz con leche, panela; dulces de piñón, pepita y de leche; budines.
~ Moscos, pulque, mezcal, licor de frutas, chocolate en leche, café de olla, atoles, champurrado.

**METEPEC**
*Fecha movible*
*(Martes, después del domingo de Pentecostés)*

**San Isidro Labrador**
Varios hombres se disfrazan de San Isidro, montan a caballo y van casa por casa, dando y recibiendo ofrendas. Toda la familia toma parte en los festejos. Los hombres se visten con atuendos femeninos y decoran sus yuntas con listones y guirnaldas de flores. Recorren las calles del pueblo llevando mosaicos hechos a base de semillas teñidas de diversos colores, en los que se representan episodios de la vida del Santo. Mientras tanto, el resto de la familia exhibe, en la iglesia, los altares que se han erigido en su honor.

~ Enchiladas pulqueras, puchero, mole, birria, barbacoa, menudo, pozole, sopes, chalupas, gorditas, tlacoyos, peneques, chicharrón, rellena, longaniza, chorizo, pambazos compuestos, verdolagas con carne de puerco, cecina de puerco, conejo en mixiote, enchiladas verdes, arroz a la mexicana, pato en barbacoa, tortillas azules, pavo enchilado, tamales de elote y carne de puerco, frijoles rancheros.
~ Alegrías, palanquetas, natillas, ates, compotas, pudín de arroz, polvorones de cacahuate, melcocha de melaza, panela, marquesote, panqué de pulque, tamales dulces, jericalla.
~ Chocolate en leche, moscos, mezcal, atoles, champurrado, pulque, chumiate, café endulzado con piloncillo, aguas frescas, licor de frutas.

---

**OZUMBA**
*Diciembre 8*

**Inmaculada Concepción**
En el atrio de la iglesia se presentan bailes, como las danzas de los Pastores, la de Los Doce Pares de Francia, el Baile de Los Feos y el de Los Chinelos. Se disfrazan con máscaras, túnicas largas y tocados diversos.

~ Gallina en barbacoa, lechoncito adobado, lengua enjitomatada, taquitos de gusanos de maguey, enchiladas de chile colorado, chicharrón en salsa verde o roja, cecina de puerco, conejo frito o en adobo, barbacoa de carnero, arroz a la mexicana, puchero, mole, huevos con chicharrón, queso de cerdo, rellena, huauzontles, esquites, longaniza verde y roja, chipotles en escabeche, chilicaxtle (nopalitos con retazo de puerco), flautas. pozole, menudo, consomé de barbacoa, tortillas azules, chuletas de cerdo.
~ Queso almendrado, natillas, polvorones de cacahuate, alegrías, palanquetas, cocadas, ates, compotas, amerengados, marquesote, arroz de leche, dulces de piñón y pepita.
~ Moscos, aguas frescas, licores de frutas, atoles, mezcal, champurrado, pulque natural o curados de frutas, café endulzado con piloncillo, chumiate, chocolate en leche.

---

**TEMASCALCINGO**
*Diciembre 13*

**Día del Señor de la Coronación**
Se organiza una feria popular a la que acuden los mazahuas. Las festividades duran dos días; se efectúa una procesión en la que la imagen del Cristo se transporta desde su capilla hasta la parroquia de la localidad y se ejecutan danzas, sobre todo las de Los Romanos, Moros, Listones y Guanajas.

~ Pambazos compuestos, enchiladas pulqueras, tostadas, sopes, chalupas, tlacoyos, timbal de pollo, rellena, nopalitos rellenos, pato en barbacoa, mole verde, huevos con chorizo, hongos con mole, tamales, chicharrón y carnitas, caldo sudador, chiles rellenos, mixiotes, aves silvestres en grasa o mantequilla, cuitlacoche con rajas, crema y queso, adobo, pipián.
~ Natillas, arroz con leche, alegrías, cocadas, buñuelos, ates, compotas, conservas, budines, amerengados, palanquetas, marquesote, cubiletes, panqué de pulque, melcocha de melaza, jericalla, tamales dulces.
~ Café de olla, chocolate, atoles, champurrados, pulque, mezcal, moscos, licores de frutas, ponche, aguas frescas.

---

**TEMOAYA**
*Septiembre 14*

**Día del Charro**
Los charros del país acuden para conmemorar su día. Asisten representantes de diversas asociaciones que ejecutan sus suertes con maestría. También participan grupos de mariachis, bandas musicales y cantantes.

~ Tamales, barbacoa, birria, pavo enchilado, menudo, mole de olla, pozole, arroz a la mexicana, chile verde con carne de puerco, quelites cocidos, chicharrón en salsa verde o roja, longaniza verde y roja, frijoles refritos, guajolote enchilado, pipián, adobo, conejo frito, puchero, rellena, lengua enjitomatada, chichicuilotas en caldillo, tortillas azules, consomé de barbacoa.
~ Tamales dulces, jericalla, marquesote, buñuelos, palanquetas, alegrías, cocadas, ates, conservas, compotas, amerengados, natillas, polvorones de cacahuate; dulces de leche, piñón y pepita.
~ Atoles (de frutas, de leche o blanco), champurrado, moscos, pulques natural o curado, chocolate en leche, café endulzado con piloncillo, licores de frutas, chumiate.

| | | |
|---|---|---|
| **TENANCINGO**<br>*Octubre 4* | **San Francisco**<br>Se ejecutan danzas como la de Moros y Cristianos; lo más sobresaliente son los instrumentos musicales: destacan las panderetas y los oboes que dan un ambiente melancólico a las procesiones. | Verdolagas con carne de puerco, arroz a la mexicana, pepeto (habas, chilacayote, carne de cerdo y chile manzano con especias), tamales, carnero al pastor, puchero, mole de olla, menudo, hongos con mole, jumiles asados, frijoles refritos o rancheros; tacos de tripa o de rellena, carnitas y chicharrón, mixiotes, tapado de habas verdes, chuletas de cerdo, chipotles en escabeche, enchiladas de chile colorado, consomé de barbacoa, cebollas rellenas, jumiles, pavo enchilado.<br>Palanquetas, cubiletes, marquesote, ates, amerengados, compotas, alegrías, conservas, natillas, panelas, miel de tuna, dulces de piñón y pepita, tamales dulces, jericalla, panqué de pulque, polvorones de cacahuate.<br>Moscos, pulque, mezcal, chocolate, atoles, café de olla, champurrado, licor de frutas, aguas frescas. |
| **TEPOTZOTLÁN**<br>*Junio 29* | **San Pedro**<br>Los habitantes conmemoran este día con una procesión a la que se integran personas provenientes de sitios remotos. Entre los festejos destacan las danzas, sobre todo la de Los Concheros y la de Los Santiagos. | Guajolote enchilado, gorditas de maíz, puchero, menudo, pozole, chile verde con carne de puerco, barbacoa de carnero, ensalada de hongos, quelites cocidos, conejo en barbacoa, mixiotes, cecina de puerco, chicharrón, rellena, quesadillas, sopes, tlacoyos, enchiladas verdes, arroz a la mexicana, cebollas rellenas, peneques, chuletas de cerdo, tamales de lomo de puerco en chile verde, pambazos compuestos, huilotas en vino o pulque.<br>Panqué de pulque, natillas, palanquetas, cocadas, ates, amerengados, alegrías, buñuelos, compotas, arroz con leche, panela, marquesote, miel de tuna, melcocha de melaza, budines; dulces de piñón, leche, pepita, durazno y cacahuate.<br>Atole, mezcal, pulque, aguas frescas, champurrado, moscos, licores de frutas, café de olla, chocolate en leche. |
| **VALLE DE BRAVO**<br>*Mayo 3* | **La Santa Cruz**<br>Se celebra con danzas –Santiagos, Moros y Cristianos– y pastorelas. Se llevan a cabo largas peregrinaciones de mazahuas; atraviesan bosques y escalan montañas hasta llegar a esta localidad. | Enchiladas pulqueras, menudo, pozole, consomé de barbacoa, quelites cocidos, verdolagas con carne de puerco, chicharrón relleno, conejo en mixiote, tostadas de flor de calabaza, chiles rellenos, tamales, lengua enjitomatada, timbal de pollo, longaniza en salsa verde, conejo frito en adobo, pipián, frijoles refritos o rancheros, pavo enchilado, pato en barbacoa, tortillas azules, cecina de puerco, ensalada de hongos, carnero al pastor.<br>Alegrías, cocadas, natillas, palanquetas, buñuelos, ates, conservas, amerengados, compotas, tamales dulces, jericalla, cubiletes, polvorones de cacahuate, calabaza en dulce, panela, miel de tuna, melcocha de melaza, panqué de pulque.<br>Chocolate en leche, aguas frescas, café endulzado con piloncillo, atoles, mezcal, cerveza, pulque curado de frutas o natural, moscos, chumiate, licores de frutas. |

## NUTRIMENTOS Y CALORÍAS

### REQUERIMIENTOS DIARIOS DE NUTRIMENTOS (NIÑOS Y JÓVENES)

| *Nutrimento* | *Menor de 1 año* | *1-3 años* | *3-6 años* | *6-9 años* | *9-12 años* | *12-15 años* | *5-18 años* |
|---|---|---|---|---|---|---|---|
| Proteínas | 2.5 g/k | 35 g | 55 g | 65 g | 75 g | 75 g | 85 g |
| Grasas | 3-4 g/k | 34 g | 53 g | 68 g | 80 g | 95 g | 100 g |
| Carbohidratos | 12-14 g/k | 125 g | 175 g | 225 g | 350 g | 350 g | 450 g |
| Agua | 125-150 ml/k | 125 ml/k | 125 ml/k | 100 ml/k | 2-3 litros | 2-3 litros | 2-3 litros |
| Calcio | 800 mg | 1 g | 1 g | 1 g | 1 g | 1 g | 1 g |
| Hierro | 10-15 mg | 15 mg | 10 mg | 12 mg | 15 mg | 15 mg | 12 mg |
| Fósforo | 1.5 g | 1.0 g | 1.0 g | 1.0 g | 1.0 g | 1.0 g | 0.75 g |
| Yodo | 0.002 mg/k | 0.002 mg/k | 0.002 mg/k | 0.002 mg/k | 0.02 mg/k | 0.1 mg | 0.1 mg |
| Vitamina A | 1500 UI | 2000 UI | 2500 UI | 3500 UI | 4500 UI | 5000 UI | 6000 UI |
| Vitamina B-1 | 0.4 mg | 0.6 mg | 0-8 mg | 1.0 mg | 1.5 mg | 1.5 mg | 1.5 mg |
| Vitamina B-2 | 0.6 mg | 0.9 mg | 1.4 mg | 1.5 mg | 1.8 mg | 1.8 mg | 1.8 mg |
| Vitamina C | 30 mg | 40 mg | 50 mg | 60 mg | 70 mg | 80 mg | 75 mg |
| Vitamina D | 480 UI | 400 UI | 400 UI | 400 UI | 400 UI | 400 UI | 400 UI |

### REQUERIMIENTOS DIARIOS DE NUTRIMENTOS (ADULTOS)

| | | |
|---|---|---|
| Proteínas | 1 | g/k |
| Grasas | 100 | g |
| Carbohidratos | 500 | g |
| Agua | 2 | litros |
| Calcio | 1 | g |
| Hierro | 12 | mg |
| Fósforo | 0.75 | mg |
| Yodo | 0.1 | mg |
| Vitamina A | 6000 | UI |
| Vitamina B-1 | 1.5 | mg |
| Vitamina B-2 | 1.8 | mg |
| Vitamina C | 75 | mg |
| Vitamina D | 400 | UI |

### REQUERIMIENTOS DIARIOS DE CALORÍAS (NIÑOS Y ADULTOS)

| | | *Calorías diarias* |
|---|---|---|
| Niños | 12-14 años | 2800 a 3000 |
| | 10-12 años | 2300 a 2800 |
| | 8-10 años | 2000 a 2300 |
| | 6-8 años | 1700 a 2000 |
| | 3-6 años | 1400 a 1700 |
| | 2-3 años | 1100 a 1400 |
| | 1-2 años | 900 a 1100 |
| Adolescentes | Mujer de 14-18 años | 2800 a 3000 |
| | Hombres de 14-18 años | 3000 a 3400 |
| Mujeres | Trabajo activo | 2800 a 3000 |
| | Trabajo doméstico | 2600 a 3000 |
| Hombres | Trabajo pesado | 3500 a 4500 |
| | Trabajo moderado | 3000 a 3500 |
| | Trabajo liviano | 2600 a 3000 |

# EQUIVALENCIAS

### EQUIVALENCIAS EN MEDIDAS

| | | | |
|---|---|---|---|
| 1 | taza de azúcar granulada | 250 | g |
| 1 | taza de azúcar pulverizada | 170 | g |
| 1 | taza de manteca o mantequilla | 180 | g |
| 1 | taza de harina o maizena | 120 | g |
| 1 | taza de pasas o dátiles | 150 | g |
| 1 | taza de nueces | 115 | g |
| 1 | taza de claras | 9 | claras |
| 1 | taza de yemas | 14 | yemas |
| 1 | taza | 240 | ml |

### EQUIVALENCIAS EN CUCHARADAS SOPERAS

| | | | |
|---|---|---|---|
| 4 | cucharadas de mantequilla sólida | 56 | g |
| 2 | cucharadas de azúcar granulada | 25 | g |
| 4 | cucharadas de harina | 30 | g |
| 4 | cucharadas de café molido | 28 | g |
| 10 | cucharadas de azúcar granulada | 125 | g |
| 8 | cucharadas de azúcar pulverizada | 85 | g |

### EQUIVALENCIAS EN MEDIDAS ANTIGUAS

| | | | |
|---|---|---|---|
| 1 | cuartillo | 2 | tazas |
| 1 | doble | 2 | litros |
| 1 | onza | 28 | g |
| 1 | libra americana | 454 | g |
| 1 | libra española | 460 | g |
| 1 | pilón | cantidad que se toma con cuatro dedos | |

### TEMPERATURA DE HORNO EN GRADOS CENTÍGRADOS

| *Tipo de calor* | *Grados* | *Cocimiento* |
|---|---|---|
| Muy suave | 110° | merengues |
| Suave | 170° | pasteles grandes |
| Moderado | 210° | soufflé, galletas |
| Fuerte | 230°-250° | tartaletas, pastelitos |
| Muy fuerte | 250°-300° | hojaldre |

### TEMPERATURA DE HORNO EN GRADOS FAHRENHEIT

| | |
|---|---|
| Suave | 350° |
| Moderado | 400° |
| Fuerte | 475° |
| Muy fuerte | 550° |

# Glosario

**Acocil (langostín).** Crustáceo que vive en ríos y lagos.

**Aguaucle (agueutle, ahuautli).** Huevera y larvas que ciertos dípteros y hemípteros depositan en las orillas de las aguas lacustres de la Meseta Central; preparados comestibles que se hacen con ellos.

**Alcaravea.** Planta herbácea de la familia de las umbelíferas, cuyas semillas se usan como condimento. Especie de comino.

**Alegría.** Planta nativa de la familia de las amarantáceas que produce semillas alimenticias; fue intensamente cultivada por los aztecas. Se comen también las partes tiernas de la planta. **Amaranto, bledo, huautli (guaute).** Se da también el nombre a una golosina común, pero festiva, que resulta de la mixtura de estas semillas tostadas con piloncillo, recubiertas de obleas de colores.

**Arepa.** Torta, pan de maíz.

**Brécol.** Nombre castellano para el broccolo italiano. Plural: brécoles o broccoli.

**Cacahuazintle (cacahuacentli).** Variedad del maíz que se caracteriza por tener el grano más redondo, blanco y suave que el común. Se utiliza en platillos como el pozole; con su harina se preparan diversos tamales y bizcochos.

**Capulín.** Árbol de las rosáceas, propio de tierras templadas y altas, y fruto de dicho árbol. El fruto se asemeja a la cereza, en drupa rojiza-oscura. Existen diversas variedades.

**Carlota.** Postre en el que algunas rebanadas finas de migajón (pan, bizcocho o soletas) reciben fruta fresca o mermelada para formar un pastel. Se adiciona con crema o licor.

**Cuitlacoche (huitlacoche).** Hongo parásito que invade las mazorcas del maíz. Es sabroso comestible, asado o guisado.

**Cuñete.** Nombre de los barriles pequeños en los que se transporta pescado, el cual se ha sancochado y puesto en un escabeche o aceite preparado para prolongar la conservación. Por extensión, cualquier guiso sancochado y preservado en un aceite o preparado.

**Chalupa.** Tortilla de maíz, abarquillada, generalmente pequeña, que se fríe en comal y se cubre de carnes deshebradas u otros guisos y abundantes hortalizas, picadas o rebanadas.

**Charal.** Voz de uso común en plural. Pececillo de una o dos pulgadas de largo, delgado y espinoso, de color plateado. Se vende, en manojos, curados al sol; es un aperitivo.

**Chayote.** Cucurbitácea de tallos trepadores y vellosos y su fruto. Éste es piriforme, de cáscara fuerte –espinosa en ocasiones– y color que va del verde oscuro al amarillento. La pulpa, suave y digerible, se come cocida. La pepita también es comestible, así como la raíz (**cueza, chayotestle, chinchayote**).

**Chichicuilote.** Avecilla acuática, zancuda, de pecho y vientre grises, más claros que la cabeza, el dorso y las alas; su pico es delgado y recto. Es especie doméstica y comestible.

**Chile manzano.** Chile fresco, de forma esférica –llega a tener un diámetro de 4 cm–, muy carnoso y picante, es de colores (verde, amarillo, anaranjado, rojo) lustrosos y atractivos.

**Chile poblano.** Es un chile fresco grueso, de color verde oscuro, que puede tener de 4 a 15 cm de largo; hay variedades muy picantes y otras casi dulces. Cuando seco se convierte en **ancho, mulato** y **chino.**

**Chile verde (serrano).** Es un chile fresco de color verde intenso, de 3 a 5 cm de largo. Enrojece al madurar y, seco, adquiere color rojo-sepia. Junto con el jalapeño, probablemente es la variedad más utilizada en la industria de las conservas.

**Chimicuil (chinicuil, chilocuil).** Gusano rosado del tronco del maguey con el cual se prepara, tras asado y molido, una salsa campestre nativa. Es diferente al gusano blanco que se cría en las pencas, larva grande de una mariposa; antojo y botana apreciadísima en la ciudad de México.

**Chumiate.** Bebida preparada con capulín y una infusión de alcohol.

**Escamol.** Huevo de una clase especial de hormigas de color rojo oscuro –**yije** o **guije**– que tiene su nido en el interior de la tierra. La huevera (larvas y ninfas) –**escamoles**– guisada es platillo suculento.

**Esquite.** Usada en plural, la voz se refiere a ciertos granos de elote, fritos, con sal, epazote y chile en polvo. Asimismo, los granos de una variedad de maíz reventados al fuego al tostarlos en el comal (con dulce o miel forman las palomitas o rosetas).

**Gorda (gorditas).** Tortillas de maíz más gruesas y, por lo general, más pequeñas que las comunes.

**Huauzontle (guazoncle).** Verdura de la familia de las Quenopodiáceas. Se aprovechan las hojas y las flores aún tiernas. Puestas a secar, se pueden conservar un año.

**Jocoque (jocoqui).** Preparación hecha a base de leche agria.

**Juanes.** Raíz regional con la que se prepara una ensalada dominguera (pues es el día en que se lleva al mercado).

**Juil (juile).** Pescadito común en aguas interiores.

**Jumil.** Insecto hemíptero chupador (chinche de encino) que los nativos acostumbran comer tostado.

**Marquesote.** Torta o bizcocho ligero de harina de arroz o maíz que usualmente se parte en trozos en forma de rombos; requiere huevos y azúcar y se hornea.

**Mosco.** Licor de frutas maceradas en alcohol que se elabora en la región; se prepara con frutas diversas.

**Peneque.** Especie de canuto o barquichuela de masa de maíz –relleno de frijoles molidos, habas, requesón u otros guisos– que se come capeado.

**Pinole.** Harina de maíz tostado, a veces endulzada con piloncillo o azúcar y mezclada con canela, cacao, anís, etc. Puede disolverse en agua o algún líquido y tomarse como refresco o como bebida caliente.

**Quesadilla.** Tortilla de maíz, rellena de queso y generalmente con una pizca de epazote, asada en comal o frita en manteca, que se dobla y queda como empanada en forma de media luna; por extensión, cualquier pastelillo de maíz relleno que se presenta en dicha forma.

**Quintonil.** En plural, nombre popular del quelite de espiga, planta amarantácea cuyas partes tiernas se comen como verdura (véase alegría).

**Requesón.** Especie de queso fresco; masa cuajada de leche preparada con el suero.

**Timbal.** La acepción culinaria se refiere a una empanada, en forma de cubilete, generalmente rellena de carne.

**Tejocote.** Árbol de la familia de las rosáceas y su fruto; globoso, con un diámetro aproximado de 3 cm, cáscara áspera, color amarillo-anaranjado, semillas pequeñas y pulpa espesa y agridulce.

**Tepeitzcuintli (tepescuintle).** Roedor grande, de hábitos nocturnos, herbívoro, propio de regiones tropicales vecinas a ríos o corrientes acuáticas. Su carne es muy apreciada. Es especie diferente al **xoloizcuintle, tlalchichi** o perro pelón, varias veces a punto de extinción, que también fue comestible.

**Tequesquite.** Carbonato de sosa natural; salitre formado por sales naturales. Sirve como abrasivo. Asentada, el agua de tequesquite tiene variados usos culinarios.

**Tlacoyo (clacloyo).** Empanada hecha con una tortilla de maíz gruesa, con forma oblonga o triangular, rellena por lo general de frijol molido, habas o requesón, bañada de salsa y queso rallado.

**Totomoxtle (totomoztle).** Hojas que envuelven las mazorcas del maíz. Son forraje, papel para liar cigarros, etc. Con ellas se envuelven y se ponen a cocer muchos tipos de tamal. **Joloche.**

**Xoconoxtle (soconoscle).** Variedad de tuna, agria, que se emplea en la elaboración de dulces en almíbar y como condimento de salsas y platillos regionales.

Esta obra fue impresa en el mes de octubre de 2000
en los talleres de Litográfica Ingramex, S.A. de C.V.,
que se localizan en la calle de Centeno 162,
colonia Granjas Esmeralda, en la ciudad de México, D.F.
La encuadernación de los ejemplares se hizo
en los talleres de Dinámica de Acabado Editorial, S.A. de C.V.,
que se localizan en la calle de Centeno 4-B,
colonia Granjas Esmeralda, en la ciudad de México, D.F.